SPIRITUAL MESSAGES GIVEN IN ENGLISH

MOTHER TERESA SPEAKS ON HER RELIGIOUS CONCEPTION

マザー・テレサの宗教観を伝える
神と信仰、この世と来世、そしてミッション

RYUHO OKAWA
大川隆法

マザー・テレサの宗教観を伝える

神と信仰、この世と来世、そしてミッション

Mother Teresa Speaks on Her Religious Conception
—— God and Faith, this World and Another World,
and Mission ——

FOREWORD

There was a nun who was called Saint MOTHER TERESA in Kolkata, India. Sixteen years have passed since she was called back by Jesus. You might say "Oh! God!" or "Jesus Christ!" I understand the reason, but this is the Truth. A priest who lives in Uganda, Africa, once criticized me according to "Levi." "Don't believe the person who conveys the words of the dead." But, I dare say, another world is the real world, and people who lived in this world, still act in that place. You are able to read a lot of "Revelation" from Heaven in "the Old Testament" and "the New Testament." These are voices of Angels or God who has Human-like personality.

Here, now, I summoned the soul of MOTHER

（和訳）はじめに

　インドのコルカタに、聖女といわれたマザー・テレサがいた。彼女がイエスに呼び戻されてすでに16年が過ぎた。あなたは、おそらく、「おお神様（ウソであって下さい）！」とか「ジーザス・クライスト（そんなバカな）！」というかもしれない。
　私にはその理由(わけ)がわかるが、されどこれが真実である。
　アフリカのウガンダに住む聖職者が「レビ記」を引用して、かつて私を批判したことがあった。「死者の言葉を語る者を信ずるなかれ」と。しかし、それでも私は言う。来世こそが真実の世界なのだ。この世にかつて生きた者たちは、今もかの地で何かをなしているのだと。『旧約聖書』や『新約聖書』をひもといてみれば、天上界からの啓示（霊示）にことかくことはないだろう。そこに語られしは、天使たちや、人格神の言葉なのだ。
　ここに、今、私はマザー・テレサの御霊(みたま)を招んだ。本

TERESA. The following is the real conversation. Believe in me. I am the "God of El," who lives in Japan.

August 22, 2013
Master & CEO of Happy Science Group
Ryuho Okawa

文がその真実の会話である。わが言葉を信ぜよ。私こそが「エルの神」であり、今、日本に生きる者である。

2013年8月22日
幸福の科学グループ創始者兼総裁
大川隆法

Contents

FOREWORD · 2

1 Summoning Mother Teresa After 16 Years · 16
2 Her Spiritual Awareness Increased After Her Death · 20
3 On the Calling She Received from Jesus Christ · 30
4 Prayer is a Telephone Call to God · 36
5 The Mission as a Small Candle · 38
6 To Save the Poverty in People's Hearts · 44
7 Be Good Neighbors to Unfortunate People · 52
8 The Sacred Responsibility to Save the Poor People · 58
9 Correcting the Mistakes: Imperialism and Racial Discrimination · 64
10 Those in Higher Positions of the Roman Catholic Church Look Like Politicians · 70
11 Where There is Poverty, There is a Mission to Spread the Truth · 74
12 Find People Who Are in Confusion and Think About What You Can Do For Them · 84
13 Don't Be Selfish · 92

目　次

　　（和訳）はじめに　　　　　　　　　　　　　　　　　3

1　16年ぶりにマザー・テレサを招霊する　　　　　17
2　死後、霊的認識が進んだマザー・テレサ　　　　21
3　イエス・キリストからの「召命」について　　　31
4　祈りとは「神への電話」である　　　　　　　　37
5　「小さなロウソク」としての使命　　　　　　　39
6　「心のなかの貧しさ」を救うために　　　　　　45
7　不幸な人々に対して、よき隣人であれ　　　　　53
8　「貧しい人々を救う」という聖なる責任　　　　59
9　「帝国主義」「人種差別」の誤りを正す　　　　65
10　政治家のように見えるカトリック上層部　　　　71
11　貧困のあるところに伝道の使命がある　　　　　75
12　「困っている人」を見つけ、
　　「何ができるか」を考えよ　　　　　　　　　　85
13　自分中心になるなかれ　　　　　　　　　　　　93

14 Past Lives Related to Christianity and Buddhism   98

15 Hope for the Teachings that Include Love, Mercy,
   Prosperity and Justice   110

16 What Does Mother Teresa Desire?   114

17 Activities in the Spirit World as an Angel of Light 118

18 Mother Teresa's Friends in Heaven   128

19 After Receiving Mother Teresa's Spiritual Messages 136

14 キリスト教と仏教に縁のある「過去世」 99
15 「愛」「慈悲」「繁栄」「正義」を含んだ
　 教えへの期待 111
16 マザー・テレサの「願い」とは 115
17 「光の天使」としての霊界での活躍 119
18 天上界での交友関係 129
19 「マザー・テレサの霊言」を終えて 137

This book is the transcript of spiritual messages given by Mother Teresa.

These spiritual messages were channeled through Ryuho Okawa. However, please note that because of his high level of enlightenment, his way of receiving spiritual messages is fundamentally different from other psychic mediums who undergo trances and are completely taken over by the spirits they are channeling.

It should be noted that these spiritual messages are opinions of the individual spirits and may contradict the ideas or teachings of the Happy Science Group.

The spiritual messages and questions were spoken in English, but the closing comments were spoken in Japanese. English translations have been provided for this part.

本書は、マザー・テレサの霊言を収録したものである。

　「霊言現象」とは、あの世の霊存在の言葉を語り下ろす現象のことをいう。これは高度な悟りを開いた者に特有のものであり、「霊媒現象」（トランス状態になって意識を失い、霊が一方的にしゃべる現象）とは異なる。

　ただ、「霊言」は、あくまでも霊人の意見であり、幸福の科学グループとしての見解と矛盾する内容を含む場合がある点、付記しておきたい。

　なお、今回、霊人や質問者の発言は英語にて行われた。本書は、それに日本語訳を付けたものである（ただし、終節のコメントは日本語で語られており、それに英訳を付けている）。

Mother Teresa Speaks on Her Religious Conception

— God and Faith, this World and Another World,

and Mission —

August 15, 2013 at Happy Science Special Lecture Hall

Spiritual Messages from Mother Teresa

マザー・テレサの宗教観を伝える

神と信仰、この世と来世、そしてミッション

2013年8月15日　幸福の科学 特別説法堂にて
マザー・テレサの霊言

Mother Teresa (1910 ～ 1997)

A catholic nun. An active social worker. Her given name was Anjezë Gonxhe Bojaxhiu. She was born in Skopje, Macedonia. She joined a religious order at the age of 18 and was sent to India. When she was 36, she received a message from God as she travelled on a train and decided to help the poor. She founded Missionaries of Charity and devoted herself to caring for the sick, orphans, and the elderly waiting for death in Kolkata. Training young nuns as well, she spread her activities worldwide. She received a Nobel Peace Prize in 1979. In 2003, she was beatified by the Catholic Church.

※ In this book, there are a total of four interviewers from Happy Science, symbolized as A, B, C and D, in the order that they first appear.

マザー・テレサ（1910〜1997）

カトリックの修道女。社会奉仕活動家。本名はアグネス・ゴンジャ・ボヤジュ。マケドニアのスコピエに生まれる。18歳で修道会に入り、インドに派遣される。36歳のとき、汽車のなかで神のお告げを感じ、貧しい人々のために働くことを決意。「神の愛の宣教者会」を創立し、コルカタの病人や孤児、死を待つばかりの老人の世話等の献身的な奉仕活動を始めるとともに、後進の修道女を育成し、その活動を全世界へと広げた。1979年、ノーベル平和賞受賞。2003年、カトリックの「福者」に列せられる。

※質問者4名は、それぞれA・B・C・Dと表記

1 Summoning Mother Teresa After 16 Years

Ryuho Okawa   Today's theme is on the famous Mother Teresa of India. She passed away about 16 years ago. To tell the truth, I contacted her at the time she left this world. I wanted to interview her on a lot of things regarding the truth of Christianity.

But it was not effective because at the time she was confused and our conversation was in poor English (Refer to *The Laws of Prosperity*, IRH Press Co., Ltd., available only in Japanese). So it was not convenient for our group to use in a seminar, lecture or of the like.

However, almost 16 years have passed since then. If possible, I will try to translate her concept into Japanese, but at first she may prefer to speak in English. Let's start in English first, and if I can translate or if she can use my Japanese translation system, I want to change it to Japanese.

1　16年ぶりにマザー・テレサを招霊する

大川隆法　本日のテーマは、インドの名高いマザー・テレサについてです。マザー・テレサは約16年前に亡くなりました。実を言うと、彼女がこの世を去ったとき、私は彼女にコンタクトしました。キリスト教の真実に関して、多くのことを彼女にインタビューしたかったのです。

　ただ、その当時、彼女は混乱しており、また、拙い英語での会話でもあったため、うまくいきませんでした（『繁栄の法』〔幸福の科学出版刊〕参照）。そのため、当会のセミナーや講義等で使うには、適切ではなかったのです。

　しかし、それから16年ほどたっています。可能であれば、彼女の考えを日本語に訳そうと思いますが、最初、彼女は英語で話すほうを好むでしょう。まずは英語で始めて、もし私が通訳できれば、あるいは、彼女が私の日本語通訳システムを使うことができれば、日本語に変えたいと思います。

But Kolkata English is very difficult and the possibility of understanding Kolkata English for Japanese people might be about 30% to 40%. So, even if I am to use English, I will translate Kolkata English into easy, Japanese English for the convenience of the audience. [*Speaking to the interviewers*] Is that OK?

Interviewer A   OK.

Ryuho Okawa   Let's try then.
[*Puts hands in prayer*]
First, I will summon Mother Teresa.
Mother Teresa, a famous Catholic nun, social worker and activist who was famous for her charity movement. Mother Teresa, Mother Teresa, I will summon you. Please come down here and speak in English or Japanese.

Mother Teresa, Mother Teresa, please come down here and use my voice and teach us your conception regarding faith, God, this world and another world,

ただ、コルカタ英語は非常に難しく、日本人がコルカタ英語を理解できる可能性は、30〜40パーセントぐらいかと思います。ですから、英語を使うとしても、コルカタ英語を易しい日本語英語に変換して、聴衆の便宜を図りたいと思います。（質問者たちに）よろしいでしょうか。

質問者A　はい。

大川隆法　では、やってみましょう。
（合掌する）
　初めに、マザー・テレサを招霊します。
　高名なカトリックの修道女であり、社会事業家であり、慈善活動で著名な活動家であるマザー・テレサよ。マザー・テレサよ。マザー・テレサよ。あなたを招霊します。どうか、こちらにご降臨くださり、英語か日本語でお話しください。
　マザー・テレサよ。マザー・テレサよ。どうか、こちらにご降臨くださり、私の声を使って、信仰や神、この世と来世について、また、この世に残された者の使命な

or regarding the mission for those who are left in this world.

If possible, we want to know about several problems regarding Christianity nowadays. So could you cooperate with us? I ask of you.

[*About 20 seconds of silence*]

2 Her Spiritual Awareness Increased After Her Death

Mother Teresa   Good morning.

MC   Good morning. Are you Mother Teresa?

Mother Teresa   Yes.

MC   Thank you for coming here to "Special Lecture Hall" of Happy Science.

どについて、あなたのお考えをお教えください。

　可能であれば、現代のキリスト教の問題について知りたいと思います。ご協力いただけますでしょうか。お願いいたします。
（約20秒間の沈黙(ちんもく)）

2　死後、霊的(れいてき)認識が進んだマザー・テレサ

マザー・テレサ　おはようございます。

司会　おはようございます。マザー・テレサでいらっしゃいますか。

マザー・テレサ　そうです。

司会　本日は、幸福の科学特別説法堂にお越(こ)しくださり、まことにありがとうございます。

Mother Teresa   Ah, you speak fluently.

MC   Thank you. Do you know Happy Science?

Mother Teresa   Yes, of course.

MC   Thank you. It's a great honor to meet you and ask you questions.

Mother Teresa   Ah.

MC   Today we would like to ask you about your religious conceptions. Your religious conceptions are, for example...

Mother Teresa   I understand.

MC   Your God, faith...

2 死後、霊的認識が進んだマザー・テレサ

マザー・テレサ　ああ、上手に話されますね。

司会　ありがとうございます。幸福の科学をご存じでしょうか。

マザー・テレサ　ええ、もちろんです。

司会　ありがとうございます。あなたにお目にかかれて、質問できますことを、光栄に存じます。

マザー・テレサ　ああ。

司会　本日は、あなたの宗教観についてお伺いしたいと思います。あなたの宗教観とは、例えば……。

マザー・テレサ　分かりますよ。

司会　あなたの神や信仰……。

Mother Teresa Difficult. Is this a university?

MC Yes, it may seem like one.
  Now, my first question is, "What is your faith?"

Mother Teresa Oh!

MC I think that maybe your God is Jesus Christ.

Mother Teresa Ah, no.

MC No?

Mother Teresa No.

MC What is your God?

2 死後、霊的認識が進んだマザー・テレサ

マザー・テレサ　難しいですね。ここは大学ですか。

司会　そうですね。そういう面もあるかもしれません。
　さて、私の最初の質問は、「あなたの信仰とは何ですか」ということです。

マザー・テレサ　おお！

司会　私が思うに、あなたの神は、イエス・キリストですよね？

マザー・テレサ　いいえ、違(ちが)います。

司会　違いますか。

マザー・テレサ　違います。

司会　あなたの神とは何ですか。

Mother Teresa　My Lord is something else I saw through Jesus Christ. My God is not Jesus Christ. My God is God. Jesus Christ is the Son of God. So, it's very difficult to understand. Now, we, Christian people, understand that Jesus Christ is almost the same as God, God's Son or the Lord, but it's a little different.

MC　Do you know the name of that God?

Mother Teresa　To tell the truth, it's very difficult, but it might be Yahweh, "the First Thing," "the Being," "the First and the Last" or "the Light itself."

A　I see.

Mother Teresa　I'm not sure.

マザー・テレサ　私の主は、私がイエス・キリストを通して見ていた別の何かです。私の神は、イエス・キリストではありません。私の神は「神」です。イエス・キリストは「神の子」です。ですから、理解するのは非常に難しいと思います。現在、私たちキリスト教徒は、「イエス・キリストは神、あるいは神の子、あるいは主であり、ほとんど同じものである」と理解していますが、それは少し違うのです。

司会　その神の名前をご存じですか。

マザー・テレサ　本当のことを言うと、とても難しいのですが、それは、「ヤハウェ」か、あるいは、「始めなるもの」「御存在」「始めであり、終わりであるもの」「光そのもの」です。

A　そうですか。

マザー・テレサ　よく分かりかねます。

A   Basically, Christianity doesn't describe the other world well. So I heard that you were a little confused when you passed away.

Mother Teresa   Confused. Yes.

A   Then maybe your idea changed a little. I think you believed in Jesus Christ very strongly while you were alive.

Mother Teresa   Yes.

A   Maybe you learned a lot of things in the other world after you passed away.

Mother Teresa   Yes. Yes.

A   Then, if possible, could you tell us what you learned in the other world? About 16 years have already passed.

2 死後、霊的認識が進んだマザー・テレサ

A　基本的に、キリスト教は、あの世についてあまり説明していません。そのため、あなたは、亡くなられたとき、少し混乱されたと伺いました。

マザー・テレサ　混乱しました。ええ。

A　では、少し、考えが変わられたようですね。生前は、イエス・キリストをとても強く信じていらっしゃったと思います。

マザー・テレサ　そうです。

A　亡くなられてから、あの世で多くのことを学ばれたのではないでしょうか。

マザー・テレサ　ええ、そうです。

A　そこで、可能であれば、あの世で学ばれたことについて、何かお聴かせいただけますでしょうか。もう16年ほどたっていますから。

Mother Teresa When I was in this world, I was greatly attached to the poor who lived in the slums of Kolkata and other impoverished areas of the world.

And I made it my rule to teach how nuns should make activities of charity in this world. My conception regarding religion and the spirit world was very close to the conceptions of the usual, earthly-attached people.

So I was very confused and perplexed about how wide the other world is and about how deep the world of Hell is. And I was astonished about the hierarchy of the heavenly world, too. I don't know exactly about the system and the structure of the world surrounding humans.

3 On the Calling She Received from Jesus Christ

A OK. Then I want to ask you from a different angle.

マザー・テレサ　私は、この世にいたとき、コルカタのスラム街や、世界の他の貧しい地域に住んでいる貧しい人々に、非常に執われておりました。

そして、私は、「修道女は、この世で、どのように慈善活動を行っていくべきか」を教えることを旨としておりました。宗教や霊界に関しての私の考えは、地上に執着している普通の人々の考えと、非常に近いものだったのです。

ですから、「来世がいかに広いものであるか」「地獄の世界がいかに深いものであるか」を知って、非常に混乱し、困惑したのです。また、「天上界の階層」についても驚きました。私は、人間を取り巻く世界のシステムや構造について正確なことは知らないのです。

3　イエス・キリストからの「召命」について

Ａ　そうですか。では、別の角度からお伺いします。

3 On the Calling She Received from Jesus Christ

You received a calling on September 10, 1946. You later described it as "the call within the call" (meaning that she received a new call after receiving a call to become a nun). Was this call from Heaven? For example, was the call from Jesus Christ, or was it from another high spirit?

Mother Teresa   This is just a guess, but I understood that the calling came from Jesus Christ. He said, "Please work for the poor through your whole life for the love of God."

A   You acted with a strong passion and a sense of mission, and you influenced many people all over the world. What was the source of your strong passion and sense of mission? What moved you so strongly?

3　イエス・キリストからの「召命」について

　あなたは、1946年9月10日に、召命を受けました。のちに、あなたは、それを「召命のなかの召命」(「召命を受けて修道生活を送るなかで、さらに受けた召命」というような意味)と表現されましたが、その召命は、天上界からのものだったのでしょうか。例えば、イエス・キリストからのものだったのですか。それとも、他の高級霊からのものだったのですか。

マザー・テレサ　推測にすぎませんが、私は、その召命を、イエス・キリストからのものだと理解しました。イエスは、「神への愛のために、生涯にわたって、貧しい人々のために働きなさい」とおっしゃったのです。

A　それで、あなたは、強い情熱と使命感を持って行動し、世界中の多くの人々を感化しました。その、強い情熱や使命感の源は、何だったのでしょうか。あなたを、それほどまでに突き動かしたものは、何だったのでしょうか。

3 On the Calling She Received from Jesus Christ

Mother Teresa   I was born in Europe so it was not necessary for me to come to India and do missionary work, but I felt that it might be my destiny which was made by God Himself. That's the meaning of "Calling."

I was sometimes asked if it was like Florence Nightingale. She also heard the Voice of God and went to the war field to save people. I also heard the Voice of God and it indicated that I should save the poor people who live in India.

Where there are poor people, there is my work and our work. They are waiting for us. They need our missionary work. I don't know the source of my passion, but all I can say is that I am a person who was created by the Passion of God. Passion itself is in my heart. My heart did not want to attain the achievement or success of this commonly world. Instead, I wanted to help poor people. I wanted to save the poor people from poverty. I thought that was my destiny and my mission.

3 イエス・キリストからの「召命」について

マザー・テレサ 私はヨーロッパに生まれましたので、必ずしもインドに来て伝道活動をする必要はなかったのですが、「それが、神ご自身によって定められた私の運命ではないか」と感じたのです。それが、「召命」の意味です。

私は、ときどき、「それは、フローレンス・ナイチンゲールと同じようなものだったのですか」と訊かれました。彼女も、神の声を聴き、人々を救うため、戦場に赴きました。私も、神の声を聴きましたが、それは、「私はインドに住む貧しい人々を救うべきである」ということを示していたのです。

貧しい人々のいるところに、私の仕事があり、私たちの仕事があります。彼らは、私たちを待っているのです。彼らには、私たちの伝道活動が必要なのです。「私の情熱の源が何か」は分かりませんが、ただ、私に言えるのは、「私は、神の情熱によって創られた人間である」ということです。情熱そのものが、私の心にあるのです。私の心は、「俗世の功績や成功を得たい」と思っていませんでした。それよりも、貧しい人々を助けたかったのです。人々を貧しさから救いたかったのです。それが私の運命であり、使命であると思ったのです。

4 Prayer is a Telephone Call to God

A   For example, you left home at the age of 18.

Mother Teresa   Age 18? Yes.

A   And you never again saw your mother or sister. So, I think you entirely abandoned your private life, and devoted your whole life to Jesus Christ and the poor. That's why you influenced people strongly. Maybe your life is a little different from that of ordinary people.

By the way, I think you loved prayers. You started every day with prayer and you loved the famous prayer, "Prayer for Peace," by Saint Francisco of Assisi. So, if possible, I would like you to tell us the importance of prayer.

4　祈りとは「神への電話」である

A　例えば、あなたは18歳のときに家を出られました。

マザー・テレサ　18歳？　そうです。

A　それからは、お母様にもお姉様にも二度と会われませんでした。ですから、あなたは、私的な人生をすべて投げ打って、イエス・キリストと貧しい人々のために、全人生を捧げたのだと思います。だからこそ、あなたは人々に強い感化を与えました。あなたの人生は、普通の人の人生とは少し違うかもしれません。

　ところで、あなたは、祈りがお好きだったと思います。あなたは、毎日を祈りで始めておられましたし、有名な「アッシジの聖フランチェスコの平和の祈り」がお好きでしたね。そこで、できましたら、祈りの大切さについて教えていただきたく存じます。

Mother Teresa It's just a telephone call to God. I recognized it like that. We need a "telephone" when we want to talk to God. He is waiting for our telephone call. And God surely answers our requests. We cannot see that correctly or clearly, but He indeed wants to save us.

It's just that He saves the poor people or the people in anxiety through sisters or religious professionals. I am a pencil of God. I am a pencil of Jesus Christ. I'm just a pencil!

A I see.

5 The Mission as a Small Candle

A Next, I want to ask you about the teaching of love. I think this is the core concept of Christianity.

マザー・テレサ　それは、まさに「神への電話」です。私は、そう認識していました。神と話をしたいときには、"電話"が必要です。神は、私たちから"電話"がかかってくるのをお待ちなのです。そして、神は、私たちの求めに必ず答えてくださいます。はっきりと明確には見えませんが、神は確かに私たちを「救いたい」と考えていらっしゃるのです。

　ただ、神は、修道女やプロの宗教家を通して、貧しい人々や悩みのなかにある人々をお救いになるのです。私は「神の鉛筆」です。私はイエス・キリストの鉛筆です。ただの鉛筆なのです！

Ａ　分かりました。

5　「小さなロウソク」としての使命

Ａ　次に、愛の教えについて伺いたく存じます。これが、キリスト教の中心概念だと思います。

5 The Mission as a Small Candle

Mother Teresa   Yes, love is everything. Not a teaching. It's everything.

A   Everything? I'm sorry.

For example, you said something like, "Love is doing small things with great love," and "It is not how much we give, but how much love we put into giving." This may be the concept of "widow's mite," which is equal to the story of the poor woman's candle in Buddhism. I think this means that a candle offered by the poor is more important than 10,000 candles offered by the rich.

This way of thinking was very important to you. Could you explain about that?

Mother Teresa   I, myself, was a small candle. I did only a spoonful of work on behalf of God. My work just lit one candle; a very small candle. It's just that some people can see the reality and the Truth of God through the light of my candle. It's very small, small work but it's very, very important work.

5 「小さなロウソク」としての使命

マザー・テレサ　ええ。愛はすべてです。教えではありません。すべてなのです。

A　「すべて」ですね？　失礼しました。

　例えば、あなたは、このようにおっしゃいました。「愛とは、大きな愛をもって小さなことをすることです」、あるいは「どれだけ与えるかではなく、与える行いにどれだけの愛を込めるかです」などです。これは「寡婦の賽銭」、仏教で言う「貧者の一灯」に当たるかもしれません。「裕福な者による一万本のロウソクより、貧しい者による一本のロウソクのほうが大切だ」ということでしょう。

　この考え方が、あなたにとって非常に大切だったわけですが、それについて説明していただけますか。

マザー・テレサ　私自身が、「小さなロウソク」でした。私は、神の代わりに、ほんのスプーン一杯分の仕事をしたまでです。私の仕事は、一本のロウソク、とても小さなロウソクに明かりをともしただけでした。ただ、私のロウソクの明かりを通して、神の実在や神の真理を見ることができる人もいるのです。それは、とても小さな小

5 The Mission as a Small Candle

We, the people who are working for the sake of God, never seek great success or fame. When we are looking for some kind of worldly fame, we are drowning in the pond of vanity. We must perish vanity to keep the purity of our hearts. Purity of heart is very important when we are guided by God. So keep purity. At that time, you must use prayer. Prayer to the Lord, to Jesus Christ, to God; anything is OK. But through prayer, you can get a pure heart and a pure heart prevents you from falling into the pond of vanity or falling for fame in vain.

So we, ourselves, must be small candles and pencils of God. God wants to say something through us, pencils. We just need to convey the Truth of God through us, pencils. This pencil means our whole body and soul. Just convey the Love of God and people will be saved.

さな仕事ですが、本当に本当に大切な仕事です。

　われわれ神のために働いている者たちは、大きな成功や有名になることを決して求めません。名声のようなものを求めているときは、「虚栄心の池」におぼれているのです。私たちは、心の清らかさを保つために、虚栄心を滅し去らなければいけません。神に導かれているときは、心の清らかさが非常に大切です。ですから、清らかさを保つことです。そのときに、祈りを使うことです。主への祈りでも、イエス・キリストへの祈りでも、神への祈りでも、何でもよいのですが、祈りを通して、心が清らかになり、その清らかな心が、「虚栄心の池」や「虚しい名声」に陥ることを防いでくれるのです。

　ですから、私たち自身は、「小さなロウソク」でなければならないし、「神の鉛筆」でなければなりません。神は、鉛筆である私たちを通して、何かをおっしゃりたいのです。私たちは、神の真理を、自分という鉛筆を通して伝えるだけでよいのです。鉛筆とは、私たちの全身全霊のことです。ただ神の愛を伝えてください。そうすれば、人々は救われるのです。

We did a lot, for example, saving people who were ill or poor. Of course, we gave them food or sometimes beds. We also provided them with hospitals, and our sisters served them. But all of these are just the doing of each pencil. I mean, every worker for the poor must be "just a pencil." Don't seek too much for yourself and don't think of yourself as a prophet of the Old Testament. We are just social workers and we did little things.

6 To Save the Poverty in People's Hearts

A   Maybe for you, equality was very important to keep purity.

Mother Teresa   Yes. Equality.

私たちは、多くのことをしました。例えば、病める人々や貧しい人々を助けました。もちろん、食べ物を与え、ときにはベッドを与えました。また、病院を提供し、修道女たちが奉仕に当たりました。けれども、それらは、すべて、一本一本の鉛筆たちが行ったことにすぎません。つまり、貧しい人々のために働く者は、誰もが、ただの鉛筆でなければならないのです。自分自身について、多くを求めすぎないことです。『旧約聖書』の預言者になったような気にならないことです。私たちは単なる社会事業家であり、ほんの小さなことをしたまでです。

6　「心のなかの貧しさ」を救うために

Ａ　おそらく、あなたにとっては、清らかさを保つために、平等が大切だったのではないでしょうか。

マザー・テレサ　ええ、平等ですね。

A   For example, you never tried to lie down on a bed when you visited America or Japan.

Mother Teresa   [*laughs*]

A   You said that if you want to understand the poor people, you need to live like them.

Mother Teresa   Yes, yes. It's a very famous story.

A   Through that practice, you might have abandoned vanity and desire. Could you tell me about that?

Mother Teresa   From the eyes of Japanese people, I am a barbarian from a country whose culture is behind by about 100 years. Yes, what you said is true. When I went to New York, I abandoned high-price beds. They were very soft and good beds which were prepared for

A 例えば、あなたは、アメリカや日本を訪れたとき、決してベッドに横たわろうとしませんでした。

マザー・テレサ （笑）

A また、あなたは、「貧しい人々の気持ちを理解したいなら、彼らのような生活をする必要があります」とおっしゃいました。

マザー・テレサ ええ、そうです。とても有名な話ですね。

A おそらく、あなたは、実践を通して、虚栄心や欲望を捨て去っていかれたのだと思います。それについて、お聴かせいただけますか。

マザー・テレサ 日本人の目から見れば、私は、おそらく、文化が100年も遅れた国からやってきた未開の人でしょう。あなたがおっしゃったことは本当です。ニューヨークに行ったとき、私は高価なベッドを放棄しました。とても柔らかくていいベッドで、私たち修道女のために用

us, sisters.

But we sometimes forget about the pain of the poor after experiencing that comfort. So we don't use such rich beds. It's a famous tale and I know very well that it's a barbaric style. You are very rich people, so...

A   There's another story of when you met the Canadian Prime Minister or one of the political leaders. He asked you for some advice and you answered, "Take off your good clothes."

Mother Teresa   No, no, it is just written in the New Testament. Jesus said almost the same thing. It's not an original of mine.

A   Yeah. Your thought may not be universal, I mean, omnipotent, but we can learn a lesson.

意してくれたものでした。

　けれども、そういった快適さを味わってしまうと、貧しい人々の苦しみを忘れてしまうことがあるのです。ですから、そういう豪華なベッドは使いません。それは有名な話ですが、野蛮なスタイルであることは、よく分かっています。あなたがたは、非常に裕福ですから……。

Ａ　カナダの首相だったか、政治家だったかに会われたときの話もあります。あなたは、その人からアドバイスを求められたところ、「その立派な服を脱ぎなさい」と答えられたそうですね。

マザー・テレサ　いえいえ。それは、『新約聖書』に書いてあることにすぎません。イエスは、同じようなことをおっしゃっています。私のオリジナルではありません。

Ａ　ええ。あなたのお考えは、普遍的なものではないかもしれませんが、つまり、万能ではないかもしれませんが、学べることがあると思います。

Mother Teresa When I came here, to Japan, in 1981, I wanted to do the same thing as I did in Kolkata, India. However, it was very difficult to find poverty in Japan.

A You came to Japan three times.

Mother Teresa I went to places such as Sanya of Asakusa, but almost all of you are very rich people so I just said, "There is poverty in your hearts." There is poverty in people's hearts, even in Japan, which is rich in goods and flourishing. We must save the poverty in your hearts.

A I see. You told us, "The hunger for love is much more difficult to remove than the hunger for bread."

Mother Teresa Yes, yes.

6 「心のなかの貧しさ」を救うために

マザー・テレサ　私が1981年に、ここ、日本に来たときは、インドのコルカタと同じようなことをしたかったのです。しかし、日本で貧困を見つけるのは、非常に難しいことでした。

A　日本には、3度いらっしゃいましたね。

マザー・テレサ　私は浅草の山谷などに行きましたが、ほとんどの日本人は非常に裕福でした。ですから、私は、「あなたがたの心のなかに貧しさがある」とだけ言ったのです。物が豊かで繁栄している日本でさえ、人々の心のなかには貧困があるのです。私たちは、あなたがたの心のなかの貧困を救わなければなりません。

A　そうですね。あなたは、「パンに対する飢えより、愛に対する飢えのほうが、はるかに取り除くのが難しい」とおっしゃいました。

マザー・テレサ　ええ、そうです。

A   And "the most terrible poverty is loneliness and the feeling of being unloved." How can we remove this spiritual poverty?

Mother Teresa   Do good things for the weak people and give them good things or precious things, which you hold, without hesitation. Where there is need, there is God's help. It's an order from God. I think so.

A   I see.

7 Be Good Neighbors to Unfortunate People

A   You also said, "The opposite of love is not hate, it's indifference."

A　また、「最もひどい貧困とは、孤独であり、『愛されていない』という思いである」ともおっしゃいました。どうすれば、この精神的な貧しさを取り除くことができるのでしょうか。

マザー・テレサ　弱者に対して、善をなすことです。あなたがたが持っている、よいもの、貴重なものを、躊躇せずに差し出すことです。求めがあるところに神の助けがあります。それは、神からの命なのです。私は、そう思います。

A　なるほど。

7　不幸な人々に対して、よき隣人であれ

A　また、あなたは、「愛の反対は憎しみではなく、無関心である」ともおっしゃいました。

7 Be Good Neighbors to Unfortunate People

Mother Teresa The opposite of love is indifference; in some meaning, it's true.

A This is also your famous phrase. Could you tell us the meaning of this phrase?

Mother Teresa Love is how you feel about the poor people, the weak people or the unfortunate people. Those who are rich, receive a lot of gifts from God and are wellborn, sometimes disregard the poor or the weak and just concentrate on themselves.

For example, in Japan, there are a lot of rich people and they are only thinking about themselves. For instance, they study very hard to enter difficult, famous universities. I guess it's not a bad thing. But while they are engaged in studying subjects like mathematics, Japanese or social history, if they are seeking for the success of their lives only, then I think that they are also poor people.

7 不幸な人々に対して、よき隣人であれ

マザー・テレサ 「愛の反対は無関心である」というのは、ある意味で、そのとおりです。

A それも、あなたの有名な言葉です。その意味について教えていただけますか。

マザー・テレサ 愛とは、「あなたが、貧しい人々や弱者、不幸な人々のことを、どう感じるか」ということです。裕福で、神から多くのものを授かった、家柄のよい人は、ときに、貧しい人や弱者を無視して、自分たちのことだけに集中しています。

　例えば、日本には、裕福な人が数多くいて、自分たちのことばかり考えています。ある人は、有名な難関大学に入ろうとして、一生懸命に勉強しています。それ自体は悪いことではないでしょう。しかし、数学や国語、社会の歴史のような教科の勉強に打ち込んでいる期間に、自分の人生の成功しか求めていないとしたら、その人もまた、貧しい人々のなかに入ると思います。

7 Be Good Neighbors to Unfortunate People

In this context, there are also a lot of poor people in Japan. They have money, clothes and beautiful houses. They work for famous companies, great companies or worldwide companies. But, in their hearts, they are poor and are feeling solitude. That is to say, they are indifferent to the people who are not consoled by God or by their neighbors.

So, solitude is a sin; I think it is some kind of sin. Solitude is akin to disregard or not feeling any concern for other people.

In Japan, the poor are disregarded; not only the poor, but the common people are also in a solitary situation and are being disregarded. It's not good.

We, who lived in India, were not rich but we helped each other and were very close in the relationships within our circles or groups.

Japanese people and, of course, people who live in New York or London are very indifferent to other

この意味では、日本にも、貧しい人々がたくさんいるのです。彼らは、お金も、着る物も、立派な家も持っていますし、有名企業や大企業、世界的な企業で働いています。しかし、彼らの心は貧しく、孤独を感じているのです。というのも、彼らは、神や隣人から慰められていない人々に対して無関心だからです。

ですから、孤独は、罪です。ある種の罪だと思います。孤独には、無視に近いものがあります。あるいは、「他人のことを何も案じていない」ということに近いものがあります。

日本では、貧しい人々も無視されていますが、貧しい人々だけでなく、普通の人たちも孤独の状態にあり、無視されているのだと思います。これは、よいことではありません。

われわれインドで暮らしていた者たちは、裕福ではありませんでしたが、互いに助け合い、仲間やグループ同士で、非常に密接な関係にありました。

日本人や、もちろん、ニューヨークやロンドンに住んでいる人も、他の人々に対して非常に無関心です。それ

people. Is this the symbol of successful people? Is this a symbol of achieving good educational background? If so, I think they are standing far away from God. You should be good neighbors to unfortunate people.

8 The Sacred Responsibility to Save the Poor People

A   I think kindness is a little different from indulgence. 'Being kind to others' is maybe a little different from 'going easy on others.' For example, if you are raising children and you're too easy on them, it doesn't do any good for your child.

In Happy Science, Master Okawa teaches us, "Give love. Love that gives is the real love, but love with wisdom."

Mother Teresa   Love with wisdom. Ah, it's very difficult.

が、成功者の象徴なのでしょうか。よい学歴を身につけたことの象徴なのでしょうか。そうだとしたら、彼らは神から遠くかけ離れていると思います。不幸な人々に対しては、よき隣人であるべきです。

8 「貧しい人々を救う」という聖なる責任

A 優しさとは、甘やかすこととは少し違うと思います。「他人に優しくする」ということは、おそらく、「他人を大目に見る」ということとは少し違うのではないでしょうか。例えば、子供を育てているとき、子供に甘くしすぎるのは、子供のためにならないでしょう。

　幸福の科学では、大川総裁が、「愛を与えなさい。与える愛こそが本当の愛です。しかし、智慧を持って愛しなさい」とお教えくださっています。

マザー・テレサ　「智慧を持って愛する」。ああ、それは、非常に難しいことですね。

A   Could you give us some tips on giving true love?

Mother Teresa   If people lack something essential, meaning if people lack food, money just to keep everyday life, or if they don't have a house which can prevent them from getting wet in the rain, at that time, can you practice the teaching 'give love with wisdom'? It's the thinking of clever people, but we don't need any Socrates-like people. Socrates should be Socrates. Socrates shouldn't come to Kolkata. We don't need him.

A   Yes. We, human beings, are created equal by God. However, if we make efforts...

Mother Teresa   Efforts?

A   Yes, if we make efforts, a huge income gap and various kinds of discrimination or classes will be born.

8 「貧しい人々を救う」という聖なる責任

A　真実の愛を与えるためのヒントを教えていただけますか。

マザー・テレサ　何か、必要不可欠なものが不足していたら、つまり、食べ物や、日々の生活の糧となるわずかなお金すらなかったら、あるいは、雨に濡れるのを防ぐための家がなかったら、そんなとき、あなたは、「智慧を持って愛を与えよ」などという教えを実践できますか。それは、賢い人が考えることですが、私たちには、ソクラテスのような人々は要らないのです。ソクラテスはソクラテスであるべきです。ソクラテスは、コルカタには来るべきではありません。私たちは、彼を必要としていないのです。

A　そうですね。私たち人間は、神によって平等に創られています。しかし、努力すれば……。

マザー・テレサ　「努力」ですか。

A　ええ。努力すれば、おそらく、大きな収入格差や、さまざまな区別、階級が生まれてきます。

Mother Teresa   I don't know why some countries are so peaceful, happy and are enjoying prosperity, while other countries are still in poverty and unfortunate situations, or sometimes in warfare, killing each other. You might want to say that it's because they are uncivilized. But the countries which were made by God are quite different and there are varieties in the earthly world.

I just think that the people who live in advanced countries have the sacred responsibility to save the people who are in poverty. I also want to say that great power comes with great responsibility.

If great countries like Japan and the United States of America, in reality, are indeed great and they are receiving the gospel and receiving the happy saying from God, then they have responsibilities for other underdeveloped or developing countries. Don't forget about them. You, Japan, must not forget about them.

A   I see. Thank you.

8 「貧しい人々を救う」という聖なる責任

マザー・テレサ　私には、なぜ、平和や幸福、繁栄（はんえい）を享受（きょうじゅ）している国がある一方で、いまだに貧しくて不幸な状態にある国、ときには、殺し合いをするような戦争状態にある国があるのか、分かりません。あなたは、「それは、文明化が進んでいないからだ」とおっしゃりたいかもしれませんね。しかし、神によって創られた国々には、かなりの違いがあり、この地上世界には、多様性があるのです。

　ただ、私は思うのですが、先進国に住んでいる人々には、「貧困（ひんこん）のなかにある人々を救う」という聖なる責任があるのではないでしょうか。また、「大きな力には大きな責任が伴（ともな）っている」ということも申し上げておきたいのです。

　日本やアメリカ合衆国のような大国が、もし、実際に、本当に素晴（すば）らしく、福音（ふくいん）を受け、神からの幸福の言葉を受けているなら、彼らには、他の未開発あるいは発展途上（と・じょう）の国に対する責任があるのです。彼らのことを忘れてはいけません。あなたがた、日本は、彼らのことを忘れてはいけないのです。

A　分かりました。ありがとうございます。

9 Correcting the Mistakes: Imperialism and Racial Discrimination

A   The next question I would like to ask you is about the problems or the contradictions of Christianity. They are kind of big issues, for example, imperialism, colonialism and racial discrimination. These were born from Christian countries.

For instance, India was a colony of the UK and the great Mahatma Gandhi tried to win independence from the British Empire. I think Mahatma Gandhi said that if all Christians practiced the teaching of Jesus Christ, all people will become Christians, not Hindu or Islam.

Why, in Christian countries, is there a mixture of love and bad things like hatred or invasion? Why is there such a mixture of two different things in Christian countries?

9 「帝国主義」「人種差別」の誤りを正す

A 次の質問ですが、キリスト教の問題点、あるいは矛盾点について伺いたいと思います。これは少し大きな問題ですが、例えば、帝国主義や植民地主義、人種差別の問題があります。これらは、キリスト教国から生まれました。

例えば、インドは、イギリスの植民地でした。そして、偉大なるマハトマ・ガンジーは大英帝国からの独立を勝ち取ろうとしました。マハトマ・ガンジーは、「すべてのキリスト教徒がイエス・キリストの教えを実践したら、人類は、みな、ヒンズー教徒やイスラム教徒ではなく、キリスト教徒になるだろう」とおっしゃったと思います。

なぜ、キリスト教国では、愛と憎しみ、あるいは侵略などの悪いものが混ざり合っているのでしょうか。なぜ、そうした二つの異なったものがあるのでしょうか。

9 Correcting the Mistakes: Imperialism and Racial Discrimination

Mother Teresa   I learned Christianity and Christian history, but I'm not sure why wealth can be made by some people but "disregards" other people. It's very difficult.

Jesus said in the Bible that the poor are happy, and the poor are akin to purity and can go through the gate of Heaven. He also said that the rich cannot go through the gate of Heaven; it's as difficult as a camel going through the eye of a needle.

So if what Jesus said was correct and his words are universal without exception, I cannot understand the reality of these several centuries, which I studied. Is this just the blessing of God?

"Does God bless prosperity?" or "Does God love the poor?" is the difference between Protestants and Roman Catholics. Protestants love wealth. I'm not sure as to why they think like that.

マザー・テレサ 私は、キリスト教とキリスト教の歴史について学びましたが、なぜ、富が一部の人によってつくられ、他の人々には行かないのかが分かりません。たいへん難しいことです。

イエスは『聖書』のなかで、「貧しい人々は幸いである。貧しい人々は、清らかさに通じているので、天国の門をくぐることができる」とおっしゃいました。また、「富める人々は天国の門をくぐることができない。それは、ラクダが針の穴を通るがごとく、難しいことだ」ともおっしゃいました。

ですから、イエスのおっしゃったことが正しくて、その言葉が普遍的で例外のないものであるならば、ここ数百年のことに関して勉強してきた現実が、私には理解できかねます。これが、まさに神の祝福なのでしょうか。

「神は、繁栄することを祝福されるのか」、それとも「神は、貧しい人々を愛されるのか」ということは、プロテスタントの人々と、ローマ・カトリック教徒との違いです。プロテスタントの人々は、富を愛しています。なぜ、彼らがそう思うのかは分かりません。

9 Correcting the Mistakes: Imperialism and Racial Discrimination

But they get money, higher class and status, and they have a lot of subordinates. They conduct like commanders and their subordinates sometimes fall into a slave-like situation.

Indian people were under the control of Great Britain for 150 years. At the time, British people enjoyed their life through a lot of priceless goods from India and food or products which were made by the work of poor people of India.

And they didn't think of improving the living conditions that are common among the poor people of India. I guess it depends on the meaning of equality. They thought that equality applied to white people and it did not apply to the colored people or underdeveloped people who were living in places like Africa or India. So they were apt to think that God loved white people only.

But Jesus Christ himself lived in Saudi Arabia, Syria, Israel, Gaza or around that area, so he must have been a yellow or colored person. European people don't

しかし、彼らは金銭や高い階級や地位を得て、多くの部下を従えています。彼らは指揮官のように振る舞い、部下が奴隷のような状態に陥っていることもあります。

インドの人々は、150年間にわたって大英帝国の支配下にありました。当時、イギリス人は、インドの多くの貴重な物資や、インドの貧しい人たちの労働によってつくられた食糧や生産物によって、生活を謳歌していました。

しかも、彼らは、インドの貧しい人々に共通の日々の生活状況を改善しようとは思いませんでした。それは、おそらく、「平等」の意味に依るものだったのでしょう。彼らは、「平等とは、白人同士のものであり、有色人種や、アフリカやインドのような所に住んでいる未開の人々には当てはまらない」と考えていたのです。そのため、彼らには、「神は白人のみを愛している」と考える傾向がありました。

ただ、イエス・キリストご自身は、サウジアラビア、シリア、イスラエル、ガザ、その辺りの地域に住んでおられたのであり、黄色人種、あるいは有色人種だったは

recognize and identify it like that. They believe that Jesus was of the same blood as them, but I think it's a little different.

Jesus will say something to you about that. I'm not such a great figure, like a prophet, who can receive the gospel or the teachings of God, so I'm not sure about that. I just feel the thought of God.

10 Those in Higher Positions of the Roman Catholic Church Look Like Politicians

A   Recently, Benedict XVI resigned and Francisco became the new Pope. He insisted that the church is for the poor, but do you support his idea?

Maybe the Roman Catholic Church needs to transform or change. For example, in Brazil, many

ずです。ところが、ヨーロッパの人々は、そうとは認識せず、そのように見なしておりません。彼らは、「イエスは、自分たちと同じ血統の人種だ」と信じていますが、それは少し違うと思います。

　それについては、イエスがあなたがたに何かおっしゃるでしょう。私は、預言者のように、神の福音や教えを受け取ることができるような偉大な人物などではありませんから、それについてはよく分かりません。私は、ただ、神のお考えを感じるだけです。

10　政治家のように見えるカトリック上層部

Ａ　最近、ベネディクト16世が退位し、新しくフランシスコが法王に即位しました。彼は、「教会は貧しい人々のためのものである」と主張していますが、あなたは彼の意見を支持しますか。

　ローマ・カトリック教会には、変革ないし変化が必要かもしれません。例えば、ブラジルでは、多くのカトリッ

Catholic believers convert from Catholic to Protestant, perhaps because of many scandals. The Vatican is losing the confidence or reliance of Catholic believers.

I think you established Missionaries of Charity and received approval from the Roman Catholic, the Vatican. If you have some opinions...

Mother Teresa Yes, you are right. Missionaries of Charity belongs to the Roman Catholic. But our thoughts are quite different. I think people in higher positions of the Roman Catholic Church behave like politicians. Politicians like the hierarchy of this world and they, too, like the power of this world. In my eyes, even the Pope looks like a president-like or prime minister-like being.

I don't know exactly what they are thinking in their mind and in their daily morning prayer, but they are too close to president-like people. They, themselves, want a lot of money, need a lot of connections to higher status people and sometimes want political power.

10 政治家のように見えるカトリック上層部

ク教徒が、おそらく多くの不祥事のせいで、プロテスタントへと改宗しています。バチカンは、彼らの信用、信頼を失っています。

あなたは「神の愛の宣教者会」を設立し、ローマ・カトリック教会、バチカンから認可を受けたと思います。ですから、もし、何か意見をお持ちでしたら……。

マザー・テレサ　はい、そのとおりです。「神の愛の宣教者会」はローマ・カトリック教会に属してはいます。しかし、私たちの考えはかなり違います。私は、「ローマ・カトリック教会の上層部の人々は政治家のように振る舞っている」と思うのです。政治家はこの世の階層制が好きですが、彼らもこの世の権力が好きなのです。私の目には、法王でさえ、大統領か首相のような存在に見えます。

彼らが、心のなかや毎朝の祈りのなかで、何を考えているのか、正確なことは知りませんが、彼らは大統領的な人間になりすぎています。彼ら自身、大金を欲しがり、地位の高い人との人脈を数多く必要とし、ときには、政治的な権力を欲しがっています。

And I don't know exactly but the Vatican Bank (Institute for the Works of Religion) is almost a worldly existence, so I cannot understand it. I'm not the right person to judge whether it (Vatican Bank) is good or evil, though. I just follow the words of Jesus Christ, do good things to the poor, and help them or help the people who are dying. That's my mission.

I don't understand the thinking of politicians and statesmen. Our missions are not so different and politicians might also have some mission from God, but I don't know about that.

11   Where There is Poverty, There is a Mission to Spread the Truth

A   You established Missionaries of Charity in 1950 and started it as a small order with just 13 members. Only 13 members. But, you now have more than 200 branches overseas...

また、正確には知りませんが、バチカン銀行（宗教事業協会）は、ほとんど世俗的な存在になっていて、私には理解できません。私は、「これ（バチカン銀行）は悪か善か」ということを判断するのに、適切な人間ではないのです。私は、ただイエス・キリストの言葉に従い、貧しい人たちに善行を施し、貧しい人たちや死にかけている人々を助けるだけです。それが私の使命です。

　私には、政治家の考えることが分かりません。そんなに使命が違うわけではなく、政治家にも、神からの使命があるのかもしれませんが、それについては分からないのです。

11　貧困のあるところに伝道の使命がある

Ａ　あなたは、1950年に「神の愛の宣教者会」を設立され、それは、13人という少人数の体制で始まりました。たったの13人です。しかし、今では、海外に、おそらく200以上の支部を有し……。

Mother Teresa　A few hundred.

A　Yes, and more than 4,000 sisters. Could you tell us the key to your great achievement, your success? How do you draw the support of many people?

Mother Teresa　Where there is poverty there is want, and we and our mission are required. I will send my sisters to save people. The population of Earth is getting larger and larger but the wealth on Earth cannot catch up to the population. So nowadays there are a lot of areas that are poor.

For example, in Brazil, there's the famous Rio de Janeiro. You know about the carnival of Rio, but in Rio there is indeed a very poor district, a slum district, and they are still suffering from poverty. On the other hand, there is prosperity through Rio's carnival; people from all over the world come to Rio, enjoy their trip and go back to their countries. But still, there are a lot of poor

11　貧困のあるところに伝道の使命がある

マザー・テレサ　数百です。

A　そうですか。そして、4000人以上の修道女を擁しています。あなたの偉大な功績、あるいは成功の鍵を教えていただけないでしょうか。どのようにして多くの人々の支援を引き寄せているのですか。

マザー・テレサ　貧困のあるところには必要があり、私たち、そして、私たちの使命が求められているのです。私は、人々を救うために修道女たちを送ります。地球の人口は増え続けておりますが、地球の富が人口に追いついていません。ですから、今日では、貧しい地域が多いのです。

　例えば、ブラジルには、有名なリオデジャネイロがあります。リオのカーニバルはご存じだと思いますが、リオには、まさに極貧地区、スラム地区があり、人々は今も貧困に苦しんでいます。その一方で、リオのカーニバルによる繁栄もあり、世界中から人々がリオに来て、旅行を楽しみ、自分たちの国に帰っていくのです。それでいて、貧しい人々が大勢いて、彼らは、ときに、政府によっ

people, and poor people are sometimes dispelled by the government because the beautiful scenery is worsened by them. They are sometimes persecuted by authority.

We must think of something in regard to that; the economy and the redistribution of the income of the government. But it's very difficult for me to understand the large economy of a great country, so I don't have enough words for that. But where there is poverty, we must do something to save the people.

You said to give love with wisdom, but in this meaning wisdom must be accompanied by some kind of technique or education in order to save these poor people, help them get jobs and money, and to reach medium level living status.

So, if your Lord teaches you to give love with wisdom, it means to give love through education or technology, or through the method of thinking on how their lives and work could prosper. They need something, some tools to keep them fighting against the poverty and illnesses of the world.

て追い払われます。彼らのせいで美しい景観が損なわれるからです。当局から迫害されることもあるわけです。

　私たちは、それについて、何か考えなくてはいけません。経済と、政府による所得再分配に関することです。しかし、大きな国の大きな経済のようなことを理解するのは、私にはとても難しいので、そのことについて十分には話せません。ただ、やはり、貧困があるところでは、人々を救うために、何かをしなくてはいけないのです。
　あなたは「智慧を持って愛を与えよ」と言いましたが、その意味において、貧しい人々を救い、彼らが仕事やお金を得て、中流の生活水準に達するためには、智慧に、ある種の技術や教育が伴っていなければいけません。

　つまり、あなたがたの主が「智慧を持って愛を与えよ」と教えるのであれば、それは、「教育や技術を通して愛を与えよ」ということであり、「『どうすれば、彼らの生活や仕事が繁栄するのか』という考え方を通して愛を与えよ」ということです。何かが要るのです。彼らが世界の貧困や病気と戦い続けるための、何らかの道具が要るの

11 Where There is Poverty, There is a Mission to Spread the Truth

We cannot give them wisdom, so we just do our missionary work. Of course, as you know, we collect a lot of money but we don't use that money for our own sake. We keep poor conditions, also, and we use this money for food, medical equipment, and for their (sisters') "pensions" as developed companies do, I mean the money to live until they pass away from this world. So we use the money like that.

I'm not sure if the Roman Catholic Church is corrupted or not. I'm not the right person to judge such things. Only Jesus Christ can judge them. So I or we just do our work.

We belong to the Roman Catholic Church, but we don't belong to the organization or the order of the Roman Catholic Church, I mean the Pope of today. We just hear and obey the order of Jesus Christ or God's voice through Jesus Christ written in the Bible. Moreover, sometimes I, myself, feel the voice of Jesus Christ. So, we

11 貧困のあるところに伝道の使命がある

です。

　私たちは、彼らに智慧を与えることができませんので、ただ伝道するだけです。もちろん、ご存じのとおり、私たちは、多くのお金を集めていますが、そのお金は自分たちのために使うのではありません。私たち自身も貧しい状態を維持し、そのお金を食べ物や医療器具に使います。また、進んでいる会社がするように、彼女たちには年金、つまり、この世を去るまでの生活費が必要ですので、そういったことにお金を使います。

　ローマ・カトリック教会が腐敗しているかどうか、私には分かりません。私はそのようなことを判断するのに、ふさわしい人間ではありません。イエス・キリストのみが、それらを判断することができるのです。ですから、私、もしくは私たちは、自分たちの仕事をなすだけです。

　私たちは、ローマ・カトリック教会に属してはいますが、ローマ・カトリック教会の組織や体制、つまり、今の法王の下に属してはいません。私たちは、『聖書』に書かれているイエス・キリストの命じることや、イエス・キリストを通した神の声に聞き従うだけです。また、私自身、イエス・キリストの声を感じることがあります。ですから、私

are living our mission as a light of the candle.

We might have more than 4,000 sisters all around the world, but they live in poor conditions, almost equal to other people. Sometimes my sisters die from lack of nutrition or from bad atmosphere or climates in underdeveloped countries.

My sisters come from a lot of classes in the world. Of course, some of them come from Japan. Japanese *ojyo-san*, the high level *musume-san* or daughters class, come and join our work.

I just believe in the words of Jesus Christ. So we must be with the poor people, and by doing so I think it prevents us from becoming corrupt.

11 貧困のあるところに伝道の使命がある

たちは、一本のロウソクの光としての使命に生きています。

　私たちには、世界中に4000人以上の修道女がいるかもしれませんが、彼女たちは、他の人々とほとんど同じ貧しさのなかに生きています。ときどき、私の修道女が、栄養不足、あるいは発展途上国の汚れた空気や気候のせいで亡くなることもあります。

　私の修道女たちは、世界中のいろいろな階層から来ています。もちろん、そのなかには日本から来た方もおります。日本のオジョウサン、上流階級のムスメサンたちが来て、私たちの仕事に加わっているのです。

　私は、ただイエス・キリストの言葉を信じるだけです。ですから、私たちは、貧しい人々と共にあらなければなりません。それによって、腐敗を免れているのだと思います。

12 Find People Who Are in Confusion and Think About What You Can Do For Them

Interviewer B Thank you for giving us this opportunity. I'm very glad to meet you.

I want to ask you about us, women, because although women have a big power to give love to people, one by one, and cure solitude, in this complex society it is very difficult for us to do this holy work. So, many women are seeking their way of life.

But I think that if we can awaken to our missionary work, then we will be able to make this world happier like you did. Please give advice to us, women, so we can awaken to our missionary work and deepen our faith.

Mother Teresa You said that women have great power. In Japan, maybe it's already so, but I think in the world, women are still weak and still suppressed by

12 「困っている人」を見つけ、
　　「何ができるか」を考えよ

質問者Ｂ　このような機会をお与えくださり、ありがとうございます。お会いできてとてもうれしいです。

　私たち女性のことについてお伺いしたいと思います。というのも、女性には、一人ひとりに愛を与え、孤独を癒す大きな力があるのに、この複雑な社会においては、その聖なる仕事をするのがとても難しいからです。そこで、多くの女性が生き方を探し求めています。

　しかし、私たちが伝道の使命に目覚めることができたなら、あなたがされたように、この世界をもっと幸せにすることができると思います。私たち女性が、伝道の使命に目覚めるための、あるいは信仰を深めるためのアドバイスをお願いいたします。

マザー・テレサ　あなたは「女性には偉大な力がある」と言われました。日本ではすでにそうでしょうが、世界では、女性はまだ弱く、男性の力によって抑圧されていると思

the power of men.

So, if Japanese women have great power, they should use this power to set the suppressed women of the world free. They should set these women free. They should use their ability to construct a better world and to help poor people, people who are ill, people who cannot earn money or people who cannot get a good education.

They are clever but if they cannot receive a good education, they cannot have a good job and they cannot travel all over the world. So if you, Japanese ladies, have a great potential power or already have a great power, please use this power to let all women in the world become free and to make a better world. If what you said is correct, lastly, I dare ask you to do so.

B OK, we will. But even if we have a big power, we sometimes suffer from our own problems and we cannot use our power of the mind. How can we deepen our faith and how can we use our power to save the world?

います。

　ですから、日本人の女性が偉大な力を持っているのであれば、世界中の抑圧されている女性を自由にするために、その力を使うべきです。彼女たちを自由にすべきです。よりよい世界を建設し、貧しい人を助け、病める人を助け、お金を稼げない人やよい教育を受けられない人を助けるために、その能力を使うべきです。

　彼女たちは賢いのですが、よい教育を受けられなければ、よい仕事に就くことができず、世界を旅することもできません。ですから、あなたがた日本人女性に、偉大な潜在能力があるか、それとも、すでに偉大な力があるのならば、その力を、世界中の女性を自由にし、よりよい世界をつくるために使ってください。あなたの語ったことが正しいのならば、最後に、そのことを、あえて、あなたにお願いしておきます。

B　分かりました。そうします。しかし、私たちに大きな力があっても、自分自身の問題で苦しんでしまい、心の力を使うことができないこともあります。どうすれば、信仰心を深め、世界を救うために自分の力を使うことが

Mother Teresa Hmm... What you're saying is a little difficult for me because it's the words through... how can I say, conceptual, I mean, brainwork. My English words are tied to daily pragmatic work, so if you can translate your English into pragmatic English or daily English, please use such kind of English and tell me what your problem is.

B   OK. We want to be kinder to others. How can we do that?

Mother Teresa   Please find people who are in confusion and who have problems. And think, "What can I do for him or her?" That is the mission of religious groups, I guess.

But Happy Science is maybe a little different because you are a group of rich people. You are rich and

12 「困っている人」を見つけ、「何ができるか」を考えよ

できるのでしょうか。

マザー・テレサ　うーん。あなたの言っていることは、私には少し難しいです。なぜなら、それは……、何と言えばよいでしょうか、観念的で、つまり、頭脳労働から出てくる言葉だからです。私の英語は、日々の実践的な仕事に結びついていますので、もし、あなたの英語を、実践的な英語、日常的な英語に翻訳していただけるのなら、どうか、そういう英語を使って、何があなたの問題なのかを教えていただけないでしょうか。

B　分かりました。私たちは、もっと他の人々に優しくありたいのです。どうすればよいでしょうか。

マザー・テレサ　困っている人や問題を抱えている人を見つけてください。そして、「自分は、彼あるいは彼女のために何ができるか」を考えてください。それが宗教団体の使命だと思います。
　ただ、幸福の科学は少し違うかもしれません。あなたがたは豊かな人々の集まりだからです。豊かで知的な人

intelligent people, so your way of thinking is a little different from ours.

I cannot say definitely whether that is good or evil, but please ask your Lord if it's the same as Jesus Christ's teachings or not. I don't understand. I just want to do down-to-earth deeds. I just wish to give food and help people.

A   We, Happy Science, also conduct charity activities like that.

Mother Teresa   Really?

A   Yeah. Master's teachings, as you know, include everything.

Mother Teresa   You are too intelligent, so you cannot be poor people. That's the problem.

A   [*laughs*] OK.

たちなので、あなたがたの考え方は私たちとは少し違います。

　これについては、断定的に善悪を言うことができません。どうか、あなたがたの主に、「それはイエス・キリストの教えと同じか同じでないか」を尋ねてください。私には分かりません。私は、ただ、実際的なことをしたいのです。人々に食べ物をあげ、人々を助けたいだけです。

Ａ　私たち幸福の科学も、そのような慈善活動をしています。

マザー・テレサ　本当ですか。

Ａ　はい。マスターの教えは、ご存じのとおり、すべてを含んでいます。

マザー・テレサ　あなたがたは頭がよすぎるのです。だから、貧しい人にはなれません。それが問題なのです。

Ａ　（笑）分かりました。

13 Don't Be Selfish

A   I have another question. We, Happy Science, want to spread Master's teachings all over the world. There's a famous spirit or phrase by you, "By blood, I am Albanian. By citizenship, an Indian. By faith, I am a Catholic nun. As to my calling, I belong to the world. As to my heart, I belong entirely to the Heart of Jesus." This spirit is also important for us and this spirit, maybe, is what divides true disciples from office workers. Could you tell me about the real spirit of disciples?

Mother Teresa   Disciples!?

A   Disciples or Happy Science…

Mother Teresa   Real? True? Real spirit of disciples? Hmm… Your group is quite different from other religious groups. You are a very outstanding, astonishing

13　自分中心になるなかれ

A　さらに質問があります。私たち幸福の科学は、マスターの教えを世界中に広げたいと思っています。あなたの有名な精神、あるいは名言として、「私は、血統はアルバニア人、国籍はインド人、信仰面ではカトリック修道女、召命に関しては全世界に属しており、心は、ひたすらイエスの御心に属しています」という言葉があります。この精神は、私たちにとっても大切であり、この精神が、おそらく、本物の弟子と会社員とを分けるものであると思います。そこで、本物の弟子の精神とは何か、教えていただけますでしょうか。

マザー・テレサ　弟子ですか!?

A　弟子、あるいは、幸福の科学の……。

マザー・テレサ　本物の？　真実の？　本物の弟子の精神？　うーん……。あなたがたの団体は、他の宗教団体とはかなり違いますね。非常に傑出した、驚くべき、信

and unbelievable group. You are people who can read several hundred books [*laughs*].

A [*laughs*]

Mother Teresa You are highly educated, rich people. So your target is very different and I cannot understand.

We cannot read the Bible to poor people because they cannot understand. Even the New Testament, we must change the words to easy words, easy English or other local languages. Sometimes we don't use words. We just use body language, and do something and show them; what is love? What is God's help? What is faith? What is prayer? Non-educated people look at our body language and feel something about these concepts. But we cannot use difficult words or even English words.

You asked me how to be a good disciple. You might mean disciple of the Lord or God, but you are in a higher position than me, so it's very, very difficult for

じがたい団体です。あなたがたは、何百冊も本が読める人たちです（笑）。

A　（笑）

マザー・テレサ　高度な教育を受けた、豊かな人たちです。対象がかなり異なりますので、私には分かりません。

　私たちは、貧しい人々に対して、『聖書』を読んであげることができません。彼らには理解できないからです。『新約聖書』でさえ、簡単な言葉、簡単な英語、あるいは、その土地の言葉に言い換えなくてはなりません。ときには、言葉を使わないときもあります。ボディーランゲージを用いて、何かをして、彼らに示すだけです。愛とは何か。神の助けとは何か。信仰とは何か。祈りとは何か。無教育な人々は、私たちのボディーランゲージを見て、そうした概念について何かを感じ取るのです。難しい言葉は使えませんし、英語が使えないことさえあります。

　あなたは、「どうすれば、よい弟子になれるか」と尋ねました。主あるいは神の弟子ということかもしれませんが、あなたは私よりも地位が高いので、私にはとても

me. I am the legs and hands of God and you are the brains of God. So we are quite different.

A   Maybe the essence is in "Live for your Lord and live for other people." "Do not be self-centered." "Do not worry about yourself." Is this also your answer to her question?

Mother Teresa   It's important. Don't be selfish.

A   Don't be selfish.

Mother Teresa   They are easy words. Don't be selfish.

A   "Do not think about yourself too much," right?

Mother Teresa   Clever people and rich people sometimes think about themselves and they become

ても難しいです。私は「神の手足」にすぎず、あなたがたは「神の頭脳」ですから、全然違うのです。

A　おそらく、本質のところは、「主のために生き、他の人々のために生きよ」「自己中心的になるな」「自分のことで悩むな」ということでしょうか。それが、彼女の質問に対するお答えでもあるのでしょうか。

マザー・テレサ　それは大事なことです。自分中心になってはなりません。

A　「自分中心になるな」ですね。

マザー・テレサ　簡単な言葉です。自分中心になってはなりません。

A　「自分のことを考えすぎるな」ということですね？

マザー・テレサ　頭のよい人や豊かな人は、ときどき、自分のことを考えるあまり、自分中心になっています。例

selfish. For example, Mr. Bill Gates, who I've recently heard has a house (vacation home in Karuizawa, Japan), made some foundation for helping worldwide activities, but even Bill Gates might be a person who is 90% selfish, I think. He never uses more than 10% of his power for poor people, I think. Please use 99% for the poor.

14   Past Lives Related to Christianity and Buddhism

A   My last question is, if possible, could you tell us your past life?

Mother Teresa   Ah.

A   Christian people do not accept the concept of reincarnation so it may be a little difficult, but if you have some relationship with Lord El Cantare or the spiritual father of Jesus Christ...

えば、ビル・ゲイツ氏は――最近、聞きましたが、（日本の軽井沢に）彼の家（別荘）があるそうですね――世界的な活動を支援するための財団をつくりましたが、ビル・ゲイツでさえ90パーセントは自分中心の人かもしれません。彼は、決して、自分の力の10パーセントも貧しい人々のためには使っていないと思います。どうか、99パーセントを貧しい人々のために使ってください。

14　キリスト教と仏教に縁のある「過去世」

A　私からの最後の質問ですが、可能であれば、あなたの過去世を教えていただけますか。

マザー・テレサ　ああ。

A　クリスチャンたちは転生輪廻の概念を受け入れませんので、少し難しいかもしれませんが、もし、主エル・カンターレ、イエス・キリストの霊的な父と、何か、ご関係があれば……。

Mother Teresa This is just a guess, but I have some serendipity to the land of India and the Ceylon Island. So I might have been a Buddhist priest in India or Sri Lanka. Of course, in the age of Jesus Christ, I must have been one of the thousands of women who followed him. I hope so [*laughs*].

So I learned from both Jesus Christ and Buddha of India. I know both teachings in me.

My deeds in India came from feeling deep sympathy with Buddha or Buddha's soul-parent, God Vishnu. I feel something like that. I don't know the actual relationship between Vishnu and Yahweh or Elohim in the Christian context. I don't know the real connection between them, but there might be the First Being who made the Earth or who made the people, and who made love, passion, intelligence, peace and prosperity or other things and the Being who made wisdom, which tells good from bad. I think it's the "alpha" being. I guess it might be what you call the "original God."

14 キリスト教と仏教に縁のある「過去世」

マザー・テレサ　ただの推測にすぎませんが、インドの地やセイロン島に、何か、思わぬ素敵な縁を感じます。インドかスリランカの仏教僧だったのかもしれません。もちろん、イエス・キリストの時代には、彼に付き従っていた数千人の女性たちの一人だったはずです。そう願います（笑）。

ですから、私は、イエス・キリストとインドの仏陀の両方から学んでいます。自分のなかでは、両方の教えを知っています。

私がインドでしたことは、仏陀や、仏陀の魂の親であるインドのヴィシュヌ神に対する深い共感から来ていたと思います。そんな気がします。ヴィシュヌと、キリスト教的な意味におけるヤハウェあるいはエローヒムとの正確な関係は知りません。彼らの本当のつながりは知らないのですが、地球を創り、人類を創り、愛や情熱、知性、平和、繁栄、その他を創られた最初の存在、善と悪を区別する智慧を創られた存在はあるでしょう。それは、アルファ（始原）としての存在であると思います。それが、あなたがたの言う「始原の神」ではないでしょうか。

A   Maybe your Lord is Elohim or Primordial Buddha?

Mother Teresa   I don't know about that, but Vishnu is the Creator of the universe in India. Not only the Creator of the Earth, but also the Creator of the other planets and all the universes that appeared in the dream of God Vishnu. I've heard that when he was sleeping or taking a nap in the day time, there appeared a lot of universes in his dream and one of his dreams was of the solar planets. So Vishnu is very akin to Primordial Buddha and might be the Creator in the Genesis of Christianity.

I cannot say any more because I'm not the brain of God. I'm just the legs of God so I cannot say anymore, but I feel sympathy for both Christianity and Buddhism.

A   OK. Thank you so much.

14 キリスト教と仏教に縁のある「過去世」

A もしかして、あなたの主は、エローヒム、あるいは根本仏でしょうか。

マザー・テレサ それについては分かりませんが、ヴィシュヌは、インドにおける宇宙の創造主です。地球の創造主だけではなく、ヴィシュヌ神の夢のなかに出てくる他の星々やあらゆる宇宙の創造主です。「彼が眠っていたとき、あるいは昼寝をしていたとき、夢のなかに、たくさんの宇宙が現れ、その夢の一つがこの太陽系の惑星だ」と聞いたことがあります。ですから、ヴィシュヌは、根本仏に非常に似ていて、キリスト教の創世記に出てくる創造主かもしれません。

私には、これ以上のことは言えません。私は「神の頭脳」ではないからです。私は「神の足」にすぎないので、これ以上のことは言えませんが、とにかく、キリスト教と仏教の両方に共感を抱いているのです。

A 分かりました。ありがとうございます。

Mother Teresa Is it enough? Or is there something else? [*Speaking to the audience*] Do you have any questions? I will never come back [*audience laughs*]. So this is the last time for me to answer your questions.

[*The microphone is passed around the audience*]

Interviewer C I have one question.

Mother Teresa OK.

C Are you connected with Japan?

Mother Teresa Huh? Huh?

C Your past life...

Mother Teresa What do you...?

マザー・テレサ　十分ですか。ほかに何かありますか。(会場に向かって) 何か質問はありますか。もう二度と来ませんよ (会場笑)。これが、あなたがたにお答えできる最後の機会です。

(会場にマイクを回す)

質問者C　一つ質問があります。

マザー・テレサ　いいですよ。

C　あなたは日本とつながりがありますか。

マザー・テレサ　え、何ですか。

C　あなたの過去世は……。

マザー・テレサ　何ですか。

14 Past Lives Related to Christianity and Buddhism

C   Were you Japanese in another life-time? For example, in the life one more in the past...

Mother Teresa   [*laughs*] The life one more in the past?

C   Are you interested in Japan?

Mother Teresa   Interested in Japan?

A   Have you been born in Japan?

Mother Teresa   Ah, in Japan. It's difficult. It's difficult. It's difficult.

C   Because you visited Japan, while you were alive.

Mother Teresa   Japan is far away. Japan provided me no jobs. The Japanese government did well so I could do almost nothing in Japan [*laughs*].

14 キリスト教と仏教に縁のある「過去世」

C　日本での過去世はありますか。例えば、もう一つ前の過去の人生で……。

マザー・テレサ　（笑）もう一つ前の人生？

C　日本に興味がありますか。

マザー・テレサ　日本に興味？

A　日本に生まれたことはありますか。

マザー・テレサ　ああ、日本にですか。それは難しい。難しいです。難しい。

C　あなたは、生前、日本を訪問されましたので……。

マザー・テレサ　日本は遠いです。日本は、私に何も仕事を用意してくれませんでした。日本政府は、よくやっていたので、私は、日本では、ほとんど何もできませんでした（笑）。

A   We, Japanese people, want to learn your spirit.

Mother Teresa   Japan has another god. Another god. This god is a very good god and a wise god, a god who loves prosperity very much. He is very clever and his tendency is to make people happy. In Japan, I guess there might be a great god. This god is very good.

A   But I think India is also on its way to becoming a developed country like Japan.

Mother Teresa   Hmm… I don't know such kind of India.

A   [*laughs*] Now India might be experiencing great economic growth.

Mother Teresa   It might be so. Hmm… I heard so but I didn't experience such kind of India, therefore I cannot imagine that.

14 キリスト教と仏教に縁のある「過去世」

A　私たち日本人は、あなたの精神を学びたいと思います。

マザー・テレサ　日本には、別の神がいらっしゃいます。別の神です。この神は、非常によい神であり、賢明な神であり、たいへん繁栄を愛する神です。非常に賢く、人々を幸福にする傾向をお持ちです。日本には、偉大な神がおられると思います。非常によい神です。

A　しかし、インドも、日本のような先進国への道を歩んでいる途中にあると思いますが。

マザー・テレサ　うーん。そういうインドは知りません。

A　（笑）今、インドは、非常に経済成長をしているかもしれません。

マザー・テレサ　そうかもしれません。うーん。そう聞いてはいますが、私は、そのようなインドを経験していませんので、想像がつきません。

15 Hope for the Teachings that Include Love, Mercy, Prosperity and Justice

A   But you and your activities have been admired and respected all over the world.

Mother Teresa   Yes, thank you, thank you.

A   Your spirit is very universal. So we, Happy Science members, also want to learn your spirit and your bravery.

Mother Teresa   Japanese people have much respect for me, so I feel very grateful about that. If possible, give us more money from Japan to help people [*laughs*].

A   A lot of your books were translated into Japanese to be published...

15 「愛」「慈悲」「繁栄」「正義」を含んだ
　　教えへの期待

A　しかし、あなたとあなたの活動は、世界中で称賛され、尊敬されています。

マザー・テレサ　ええ、ありがとう。ありがとう。

A　あなたの精神は非常に普遍的です。ですから、私たち幸福の科学の信者も、あなたの精神や勇気を学びたいのです。

マザー・テレサ　日本のみなさんは、私に対してたいへん敬意を持ってくださっていますので、とてもありがたく思っています。もし可能なら、私たちが人助けをするためのお金を日本からもっと下さい（笑）。

A　あなたの本は、数多く、日本語に翻訳されて出版されていまして……。

15 Hope for the Teachings that Include Love, Mercy, Prosperity and Justice

Mother Teresa   I heard that your branches or temples are spreading in India.

A   Yeah, we have them in places such as Delhi and Mumbai.

Mother Teresa   Yes, yes. I recognized you and the Japanese Buddha. And Indian people understand the Japanese Buddha, and they welcome your teachings. It's helpful for them.

Your teachings, of course, include love from Christianity, mercy from Buddhism and prosperity. It's in the stream of America's Protestantism. And the justice of God. It's from Israel and from old, ancient Japan. Of course, world justice is important and to prevent invasion from other countries is essential in this world.

But my brain is so small and my activity is so limited. It's not my option to choose so many kinds of missionary work. So it's up to you. It's your work.

15 「愛」「慈悲」「繁栄」「正義」を含んだ教えへの期待

マザー・テレサ　あなたがたは「インドにたくさん支部や精舎(しょうじゃ)を広げている」と聞きましたよ。

A　ええ、デリーやムンバイなどにあります。

マザー・テレサ　そう、そう。私は、あなたがたや日本の仏陀(ぶっだ)を認識していましたし、インド人は日本の仏陀を理解していて、あなたがたから教えを受けることを歓迎(かんげい)しています。それは、彼らにとって役に立つことです。

　あなたがたの教えは、もちろん、キリスト教の愛、仏教の慈悲(じひ)、そして、繁栄(はんえい)を含(ふく)んでいます。これは、アメリカのプロテスタントの流れです。さらに、神の正義です。これは、イスラエル、そして古代日本から来ています。当然、世界の正義は大事ですし、他国からの侵略(しんりゃく)を防ぐことも、この世界では不可欠なことです。

　しかし、私の頭脳はあまりに小さく、私の活動は非常に限られていますので、私には、多くの伝道活動のようなものを選ぶ選択肢(せんたくし)がありません。それは、あなたがたが決めることであり、あなたがたの仕事です。

16 What Does Mother Teresa Desire?

A   Still, there are a lot of poor people all over the world. So I'd like you to guide us. It may take 200 years or 300 years…

Mother Teresa   My people or people who I love will never live in Karuizawa, so it's very difficult.

A   Our target is all people. Both rich people and poor people.

Mother Teresa   I felt today that I must learn about the wisdom of God. It's very advanced thinking.

A   Good politics and economics can save a lot of people from poor conditions.

16　マザー・テレサの「願い」とは

Ａ　それでも、世界中に貧しい人が数多くいます。ですから、私たちは、あなたにご指導いただきたいのです。200年か300年かかるかもしれませんが……。

マザー・テレサ　私の人々、私の愛する人々は、軽井沢には決して住みません。ですから、非常に難しいのです。

Ａ　私たちの目標は、すべての人々です。豊かな人も貧しい人も両方です。

マザー・テレサ　今日、感じたのは、「私は、神の智慧について学ばなければいけない」ということです。これは非常に進んだ考え方です。

Ａ　政治や経済がよければ、多くの人が貧困状態から救われます。

Mother Teresa   Economics is a little difficult for me. Politics and economics are very difficult for me. [*Speaking to the interviewers*] So it's for all of you.

A   Anyways, your spirit, your courage...

Mother Teresa   But don't forget about the poor. My desire is just that. All right?

A   Yeah. We also have branches in Africa so we will not forget.

Mother Teresa   Jesus Christ also came down here and talked to you about his teachings. You are people full of grace. You are very affluent in teachings.

A   We are blessed people.

マザー・テレサ　経済は、私には少し難しいのです。政治・経済は、とても難しい。それらは、（質問者たちに）あなたがたのためにあるものです。

A　とにかく、あなたの精神、あなたの勇気を……。

マザー・テレサ　ただ、貧しい人々のことを忘れないでください。それだけが私の願いです。よろしいですか。

A　ええ。私たちはアフリカにも支部を持っていますから、忘れません。

マザー・テレサ　イエス・キリストもここに降りてこられて、あなたがたに教えを説かれました。あなたがたは神の恩寵に満たされた人たちです。教えにおいて、非常に豊かです。

A　われわれは祝福された者たちです。

Mother Teresa I bless you. However, I'm poor in my mind and I'm poor in my recognition. I'm poor in my educational background, so I cannot sufficiently answer you or become the teacher of your religion, so please ask Jesus himself or Buddha himself. It's an easy way for you to understand what the right thing is.

17 Activities in the Spirit World as an Angel of Light

Mother Teresa [*Speaking to the audience*] Do you have any more questions?

Interviewer D Thank you very much for today. Now you live in Heaven. What is Heaven like for you?

Mother Teresa [*coughs*]

D For example, is it comfortable…

マザー・テレサ　あなたがたを祝福します。しかし、私は、心が貧しく、認識力も乏しい者です。学歴も低いので、あなたがたに答えたり、あなたがたの宗教の先生になるには不十分です。ですから、どうぞ、イエスご自身、仏陀ご自身に訊いてください。「何が正しいのか」を理解するには、そのほうが簡単です。

17　「光の天使」としての霊界での活躍

マザー・テレサ　（会場に向かって）まだ、ほかにありますか。

質問者Ｄ　本日は、本当にありがとうございます。今は、天国にお住まいですよね。天国はどのような感じでしょうか。

マザー・テレサ　（咳き込む）

Ｄ　例えば、「快適である」とか。

Mother Teresa Too many difficult questions [*laughs*]. I'm so astonished about that.

D Sorry.

Mother Teresa About Heaven?

D I don't think there are any poor people in Heaven.

Mother Teresa There are no poor...

D How does it feel?

A They don't have to eat food.

Mother Teresa I got it. Of course, there are no material beings in this world, but there is some kind of, how can I say, 'epiphany,' I mean, it's a difficult word, 'phenomenon' or 'appearance,' oh, OK, appearance of idea of the soul. The real existence of a human being. When a soul in

マザー・テレサ　難しい質問が多すぎます（笑）。とても驚きました。

D　ごめんなさい。

マザー・テレサ　天国についてですか。

D　私は、「天国には、貧しい人々はいない」と思うのです。

マザー・テレサ　貧しい人々はいない……。

D　どのような感じでしょうか。

A　食べ物を食べなくてもよいですし。

マザー・テレサ　分かりました。もちろん、こちらの世界には、物質的な存在はありません。けれども、ある種の、何と言えばよいのでしょうか、「顕現」、つまり、難しい言葉ですが、「現象」「出現」でしょうか。ああ、分かりました。魂の考えが現れたものがあるのです。それが人

Heaven thinks about something, there appears material-like things in some kind of shape, and these are made from concept or mind power.

So it's not reality but it's like virtual reality. You can see another world, the people, the houses and the buildings as if they're real, like when you watch a movie. Such kind of reality-like beings are there in the heavenly world.

But, as you said, there are no poor people in Heaven. So our main missionary work in Heaven is... of course, we are angels of light, so we usually go down to Hell and save people.

Each of us has a talent so we are using special talents. I have the talent to cure people who are ill.

In Hell, there are a lot of people who are still under warfare. They kill each other, feel that they were shot by an enemy and fall to the ground, and they think they are dead. And after ten minutes or so, they stand up again, but they are injured at that time. In such a situation, we, the angels of light, accompany injured people, help them

間本来のあり方です。天国にいる魂が何かを考えると、ある種の形をとった物質のようなものが現れます。ただ、それは、観念あるいは心の力でつくられたものなのです。

つまり、それは現実のものではなく、仮想現実のようなものですが、映画を観るように、別の世界や人々、家々やビルが現実のように見えます。そうした現実のような存在が、天上界にはあるのです。

しかし、あなたが言われたように、天国に貧しい人はいません。ですから、天国での私たちの主な伝道活動としては、もちろん、私たちは光の天使ですので、たいてい地獄へ行って、人々を救済しています。

私たちは、それぞれの才能を持っていますので、それぞれの専門的な才能を使っています。私には、病める人々を癒す才能があります。

地獄には、いまだに戦争をやっている人たちがたくさんいます。彼らは、お互いに殺し合い、敵に撃たれたように感じたりして地面に倒れ、「自分は死んだ」と思います。そして、10分かそのくらいで再び立ち上がるのですが、そのときは、ケガをしています。そうした状況で、私たち光の天使は、彼らに付き添い、彼らを助け、愛と

and give them some words of love and peace, and tell them, "Please choose love or peace instead of fighting or killing other people, evil people or your enemies. Please stop hatred, save yourself, save your enemies and go up to Heaven." We suggest them to do so.

A   So you go to Hell to save spiritually poor people?

Mother Teresa   Yes, yes.

A   Is it your main job? In the heavenly world? Now?

Mother Teresa   Yes, yes. There are injured people and, of course, there are poor people who cannot get any food and people who are hungry, almost to death. We sometimes make food for them and give it to them. They believe the truth, the fact, and they eat my bread.

17 「光の天使」としての霊界での活躍

平和の言葉を与え、「争いではなく、他の人や悪人、あなたの敵を殺すのでもなく、どうか、愛と平和を選びなさい。どうか、人を憎むのはやめて、自分自身を救い、あなたの敵を救い、天国に還りなさい」というように、彼らに勧めるのです。

A　そうすると、霊的に貧しい人々を救うために、地獄に行くのですね？

マザー・テレサ　はい、そうです。

A　それがあなたの主なお仕事ですか。天上界での？ 今の？

マザー・テレサ　ええ。ケガをしている人もいますし、もちろん、貧しくて食べ物がない人、飢えて死にそうな人もいます。私たちは、ときどき、そういう人たちのために食べ物をつくって、与えます。彼らは、その真実を、その事実を信じて、私のパンを食べるのです。

A In the spirit world, your thoughts will manifest. So, do you try to teach them how to control their minds? Is that your job, too?

Mother Teresa That's very difficult for them. The controlling of the mind should be taught in Heaven. In the heavenly world, there are three grades or "atmospheres." The people in the lower level don't think about that. They live like good people, only like good neighbors. They cannot control their spiritual technique.

But in the secondary level, the middle level, people are learning about this spiritual power or technique, and they are becoming like the teachers of, for example, elementary school, junior high school or high school.

And in the upper level, there are people like university teachers and they give us great lectures and difficult lectures with wisdom, of course. And sometimes they give us lectures about the history of real religion, the future of the world and the future of people.

17 「光の天使」としての霊界での活躍

Ａ　霊界では、思いが実現するので、彼らに、心のコントロールの仕方を教えようとするわけですか。それも、あなたのお仕事なのでしょうか。

マザー・テレサ　それは、彼らにとって非常に難しいことです。心のコントロールは、天国で教えられるべきものです。天上界には、３つの界層、"大気の層"がありますが、低い段階の人は、そんなことは考えません。彼らは、善人のように、善良な隣人としてのみ生きていて、霊的な技術をコントロールすることはできないのです。

　一方、第二段階、中段階の人たちは、この霊的な力、技術を学んでいるところであり、小学校や中学校、高校のような学校の先生になっていきます。

　さらに、上段階には、大学のようなところがあり、大学の先生のような人たちがいて、素晴らしい講義や難しい講義を、もちろん智慧を持って、してくれます。また、ときどき、本物の宗教の歴史や、世界の未来や人々の未来について講義をしてくれます。

A   Do you also give lectures?

Mother Teresa   I'm between the middle and the upper level.

A   So, sometimes you go to Hell to save people and sometimes you teach.

Mother Teresa   Might be so. I'm a "high school" teacher of Heaven.

18   Mother Teresa's Friends in Heaven

A   Who are your friends in the heavenly world?

Mother Teresa   My friends?

A   Yeah, yeah. Usually, you meet someone...

A　あなたも、ときには講義をなさるのですか。

マザー・テレサ　私は、中段階と上段階の間のレベルにいます。

A　「あるときは、地獄へ人々を救済しに行き、あるときは、教える」ということでしょうか。

マザー・テレサ　そうかもしません。私は、天国の"高校"の教師です。

18　天上界での交友関係

A　天上界では、どなたとお友達ですか。

マザー・テレサ　友達ですか。

A　ええ、そうです。いつも、誰と会って……。

Mother Teresa We have a lot of sisters in Heaven. Historical sisters.

A Could you tell me their names?

Mother Teresa Ah, hmm.

A Have you met Saint Francis? Saint Francis of Assisi?

Mother Teresa I'm a woman, so we live in different areas, but I can meet Francisco. I also met the sister who was Francisco's girlfriend. Of course, Jesus Christ's assistant women and sisters are my close friends, too.

A What about Ignacio de Loyola?

Mother Teresa Ignacio de Loyola... I've never met him.

18 天上界での交友関係

マザー・テレサ　天国には修道女たちが大勢います。歴史上の修道女たちです。

A　彼女たちの名前を教えていただけますか。

マザー・テレサ　ああ、うーん。

A　聖フランチェスコに会われたことはありますか。アッシジの聖フランチェスコです。

マザー・テレサ　私は女性なので、住んでいる所は違いますが、フランチェスコには会えます。フランチェスコの恋人の修道女にも会ったことがあります。もちろん、イエス・キリストを補佐する女性たち、修道女たちも、私の親しい友人です。

A　イグナチオ・デ・ロヨラはどうですか。

マザー・テレサ　イグナチオ・デ・ロヨラ……。私は会ったことがありません。

B Do you work with Nightingale or Helen Keller?

Mother Teresa Oh, I know, I know. Nightingale and Helen Keller. I know.

B Do you work together?

Mother Teresa Yes, sometimes. I am a "high school" master for sisters. Nightingale, Helen Keller and Sullivan are also "high school" masters.

Is it OK? I cannot explain the whole heavenly world. I'm so sorry.

A Thank you.

MC OK. Thank you for giving us your precious time. We received teachings and sacred lessons from you. We will try to do our best to save people and, of course, the poor people. Thank you.

B　ナイチンゲールやヘレン・ケラーとは一緒に仕事をされますか。

マザー・テレサ　ええ、知っています。知っています。ナイチンゲールとヘレン・ケラーは知っています。

B　一緒に仕事をされますか。

マザー・テレサ　ええ、ときどき。私は、修道女のための"高校"の校長先生です。ナイチンゲールやヘレン・ケラー、サリバンも"高校"の校長先生です。
　これでいいですか。私は、天上界すべての説明はできません。本当にごめんなさい。

A　ありがとうございます。

司会　大丈夫です。貴重なお時間を頂き、ありがとうございました。私たちは、あなたの教えや聖なる教訓を頂きました。人々を救うために、もちろん、貧しい人々を救うためにも、精いっぱい努力したいと思います。あり

Mother Teresa Thank you. Today, I spoke very poor English. I'm sorry. I should say sorry to Master Okawa. I could not use his vocabulary sufficiently, so I spoke poor English. Junior high school-level English so please forgive me about that.

MC No, we are honored by your sacred words.

Mother Teresa Really? Thank you. You speak fluently. Good English. Please come to Kolkata and teach people. You are a good English teacher. Please come to India.

MC Kolkata? [*laughs*] Thank you. Thank you very much.

がとうございます。

マザー・テレサ　ありがとう。今日は、とても拙（つたな）い英語を話してしまいました。ごめんなさい。大川総裁にお詫（わ）びしなければいけません。総裁の語彙（ごい）を十分に使えなかったので、拙い英語になってしまいました。中学生レベルの英語ですね。その点は、どうか、お許しください。

司会　いえ、あなたの聖なるお言葉を頂いて、光栄に思います。

マザー・テレサ　本当ですか。ありがとう。あなたは流暢（りゅうちょう）に話されますね。英語が上手です。どうか、コルカタに来て、人々に教えてください。あなたは優秀（ゆうしゅう）な英語教師です。どうぞ、インドにいらしてください。

司会　コルカタですか（笑）。ありがとうございます。感謝いたします。

19　After Receiving Mother Teresa's Spiritual Messages

Ryuho Okawa　OK. Well, that's all.

Unfortunately, it didn't go as far as for her to speak in Japanese, but I think she understood better this time. Last time, it was a little difficult to speak with her. She was saying that she was looking for slums but she couldn't find any. I was telling her that they don't exist in Heaven. She probably got used to living in the spirit world after 16 years.

I'd be happy if people outside of Japan could understand this spiritual message.

19 「マザー・テレサの霊言」を終えて

大川隆法　はい。以上でした。

　日本語を話すところまでは行かなかったので、残念ですが、前回より、かなり話が通じたような気がしました。前回は、話をするのが、もう少し厳しかったのです。また、彼女は「あの世でスラム街を探しているのですが、ないのです」と言っていたので、私は「天国にはないのですよ」と答えたのですが、16年が経過して霊界に慣れてきたのでしょう。

　外国の人にも、今回の霊言を分かっていただけたら、ありがたいですね。

『マザー・テレサの宗教観を伝える』
大川隆法著作関連書籍

『繁栄の法』(幸福の科学出版刊)

マザー・テレサの宗教観を伝える
――神と信仰、この世と来世、そしてミッション――

　　　　2013年 9月10日　初版第1刷
　　　　2024年11月19日　　第2刷

著　者　　大　川　隆　法
発行所　　幸福の科学出版株式会社
　　　〒107-0052　東京都港区赤坂2丁目10番8号
　　　　　　　　TEL(03)5573-7700
　　　　　　　https://www.irhpress.co.jp/

印刷・製本　株式会社 研文社

落丁・乱丁本はおとりかえいたします
©Ryuho Okawa 2013. Printed in Japan. 検印省略
ISBN 978-4-86395-385-7 C0014

大川隆法ベストセラーズ・霊的世界の真実

繁栄の法
未来をつくる新パラダイム

法シリーズ 第4巻

教育論、霊界論、成功的人生論、企業や国家の経営危機脱出論を展開し、信仰論における価値観の革命を訴えた「救世の法」。

1,760円

神秘の法
次元の壁を超えて

法シリーズ 第10巻

この世とあの世を貫く秘密を解き明かし、あなたに限界突破の力を与える書。この真実を知ったとき、底知れぬパワーが湧いてくる!

1,980円

地獄の法
あなたの死後を決める「心の善悪」

法シリーズ 第29巻

どんな生き方が、死後、天国・地獄を分けるのかを明確に示した、姿を変えた『救世の法』。現代に降ろされた「救いの糸」を、あなたはつかみ取れるか。

2,200円

永遠の生命の世界
人は死んだらどうなるか

死は、永遠の別れではない──。死後の魂の行き先、脳死と臓器移植の問題、先祖供養のあり方など、あの世の世界の秘密が明かされる。

1,650円

幸福の科学出版

大川隆法ベストセラーズ・愛の本質に目覚める

愛、無限
偉大なる信仰の力

真実の人生を生きる条件、劣等感や嫉妬心の克服などを説き明かし、主の無限の愛と信仰の素晴らしさを示した現代の聖書。

1,760 円

愛の原点
優しさの美学とは何か

この地上を優しさに満ちた人間で埋め尽くしたい――。人間にとって大切な愛の教えを、限りなく純粋に語った書。

1,650 円

限りなく優しくあれ
愛の大河の中で

愛こそが、幸福の卵である。霊的視点から見た、男女の結婚、家庭のあり方や、愛の具体化の方法が、日常生活に即して語られる。

1,650 円

大川隆法　初期重要講演集
ベストセレクション⑦
許す愛

世界が闇に沈まんとするときにこそ、神仏の正しき教えが説かれる――。「人類が幸福に到る道」と「国家建設の指針」が示された、初期講演集シリーズ第7弾。

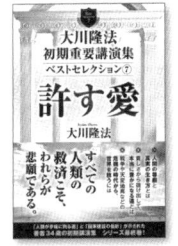

1,980 円

※表示価格は税込10％です。

大川隆法ベストセラーズ・心の修行の指針

宗教者の条件

「真実」と「誠」を求めつづける生き方

宗教者にとっての成功とは何か──。「心の清らかさ」や「学徳」、「慢心から身を護る術」など、形骸化した宗教界に生命を与える、宗教者必読の一冊（2023年8月改版）。

1,760円

心に目覚める

AI時代を生き抜く「悟性」の磨き方

AIや機械には取って代わることのできない「心」こそ、人間の最後の砦──。感情、知性、理性、意志、悟性など、普遍的な「心の総論」を説く。

1,650円

不動心

人生の苦難を乗り越える法

本物の自信をつけ、偉大なる人格を築くための手引書。蓄積の原理、苦悩との対決法など、人生に安定感をもたらす心得が語られる。

1,870円

自も他も生かす人生

あなたの悩みを解決する「心」と「知性」の磨き方

自分を磨くことが周りの人の幸せにつながっていく生き方とは？ 悩みや苦しみを具体的に解決し、人生を好転させる智慧が説き明かされた中道的人生論。

1,760円

幸福の科学出版

大川隆法霊言シリーズ・キリスト教の真髄に迫る

キリストの幸福論

失敗、挫折、苦難、困難、病気……。この世的な不幸に打ち克つ本当の幸福とは何か。2000年の時を超えてイエスが現代人に贈る奇跡のメッセージ!

1,650 円

パウロの信仰論・伝道論・幸福論

キリスト教徒を迫害していたパウロは、なぜ大伝道の立役者となりえたのか。「ダマスコの回心」の真実、贖罪説の真意、信仰のあるべき姿を、パウロ自身が語る。

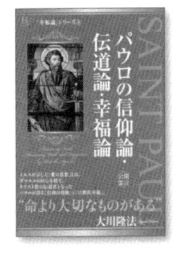

1,650 円

福音書のヨハネ イエスを語る

イエスの実像と、その限りなき神秘性とは? イエスが最も愛した弟子と言われる「福音書のヨハネ」が、イエスの「奇跡」「十字架」「復活」の真相を解き明かす。

1,540 円

ローマ教皇 フランシスコ守護霊の霊言

コロナ・パンデミックによるバチカンの苦悶を語る

世界で新型コロナ感染が猛威を振るうなか、バチカンの最高指導者の本心に迫る。救済力の限界への苦悩や、イエス・キリストとの見解の相違が明らかに。

1,540 円

※表示価格は税込10%です。

大川隆法ベストセラーズ・地球を包む主エル・カンターレの愛

地球を包む愛

人類の試練と地球神の導き

日本と世界の危機を乗り越え、希望の未来を開くために——。天御祖神の教えと、その根源にある主なる神「エル・カンターレ」の考えが明かされた、地球の運命を変える書。

1,760 円

真実を貫く

人類の進むべき未来

混迷する世界情勢、迫りくる核戦争の危機、そして誤った科学主義による唯物論の台頭……。地球レベルの危機を乗り越えるための「未来への指針」が示される。

1,760 円

メシアの法

「愛」に始まり「愛」に終わる

法シリーズ 第28巻

「この世界の始まりから終わりまで、あなた方と共にいる存在、それがエル・カンターレ」——。現代のメシアが示す、本当の「善悪の価値観」と「真実の愛」。

2,200 円

愛は憎しみを超えて

中国を民主化させる日本と台湾の使命

中国に台湾の民主主義を広げよ——。この「中台問題」の正論が、アジアでの戦争勃発をくい止める。台湾と名古屋での講演を収録した著者渾身の一冊。

1,650 円

※表示価格は税込10%です。

大川隆法ベストセラーズ・主なる神エル・カンターレを知る

太陽の法
エル・カンターレへの道

創世記や愛の段階、悟りの構造、文明の流転を明快に説き、主エル・カンターレの真実の使命を示した、仏法真理の基本書。25言語で発刊され、世界中で愛読されている大ベストセラー。

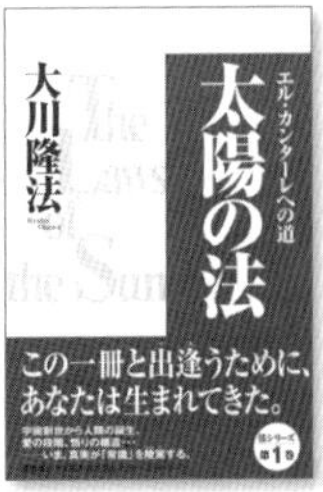

法シリーズ 第1巻

2,200円

永遠の法
エル・カンターレの世界観

すべての人が死後に旅立つ、あの世の世界。天国と地獄をはじめ、その様子を明確に解き明かした、霊界ガイドブックの決定版。

法シリーズ 第3巻

2,200円

永遠の仏陀
不滅の光、いまここに

すべての者よ、無限の向上を目指せ──。大宇宙を創造した久遠の仏が、生きとし生けるものへ託した願いとは。

1,980円　〔携帯版〕1,320円

幸福の科学の本のお求めは、
お電話やインターネットでの通信販売もご利用いただけます。

フリーダイヤル **0120-73-7707** （月～土 9:00～18:00）

幸福の科学出版公式サイト　**幸福の科学出版**　🔍検索

https://www.irhpress.co.jp

幸福の科学グループのご案内

宗教、教育、政治、出版などの活動を通じて、地球的ユートピアの実現を目指しています。

幸福の科学

1986年に立宗。信仰の対象は、地球系霊団の最高大霊、主エル・カンターレ。世界174カ国以上の国々に信者を持ち、全人類救済という尊い使命のもと、信者は、「愛」と「悟り」と「ユートピア建設」の教えの実践、伝道に励んでいます。　　　　　　　　　　　（2024年11月現在）

愛　幸福の科学の「愛」とは、与える愛です。これは、仏教の慈悲や布施の精神と同じことです。信者は、仏法真理をお伝えすることを通して、多くの方に幸福な人生を送っていただくための活動に励んでいます。

悟り　「悟り」とは、自らが仏の子であることを知るということです。教学や精神統一によって心を磨き、智慧を得て悩みを解決すると共に、天使・菩薩の境地を目指し、より多くの人を救える力を身につけていきます。

ユートピア建設　私たち人間は、地上に理想世界を建設するという尊い使命を持って生まれてきています。社会の悪を押しとどめ、善を推し進めるために、信者はさまざまな活動に積極的に参加しています。

幸福の科学の教えをさらに学びたい方へ

心を練る。叡智を得る。
美しい空間で生まれ変わる
幸福の科学の精舎

幸福の科学の精舎は、信仰心を深め、悟りを向上させる聖なる空間です。全国各地の精舎では、人格向上のための研修や、仕事・家庭・健康などの問題を解決するための助力が得られる祈願を開催しています。研修や祈願に参加することで、日常で見失いがちな、安らかで幸福な心を取り戻すことができます。

| 総本山・正心館 | 総本山・未来館 | 総本山・日光精舎 | 総本山・那須精舎 | 東京正心館 |

全国に27精舎を展開

運命が変わる場所 ──
幸福の科学の支部

幸福の科学は1986年の立宗以来、「私、幸せです」と心から言える人を増やすために、世界各地で活動を続けています。
国内では、全国に400カ所以上の支部が展開し、信仰に出合って人生が好転する方が多く誕生しています。
支部では御法話拝聴会、経典学習会、祈願、お祈り、悩み相談などを行っています。

支部・精舎のご案内
**happy-science.jp/
whats-happy-science/worship**

海外支援・災害支援

幸福の科学のネットワークを駆使し、世界中で被災地復興や教育の支援をしています。

毎年2万人以上の方の自殺を減らすため、全国各地でキャンペーンを展開しています。

公式サイト **withyou-hs.net**

自殺防止相談窓口
受付時間 火～土:10～18時（祝日を含む）

TEL **03-5573-7707**　メール **withyou-hs@happy-science.org**

ヘレンの会

視覚障害や聴覚障害、肢体不自由の方々と点訳・音訳・要約筆記・字幕作成・手話通訳等の各種ボランティアが手を携えて、真理の学習や集い、ボランティア養成等、様々な活動を行っています。

公式サイト **helen-hs.net**

入会のご案内

幸福の科学では、主エル・カンターレ 大川隆法総裁が説く仏法真理をもとに、「どうすれば幸福になれるのか、また、他の人を幸福にできるのか」を学び、実践しています。

入会　仏法真理を学んでみたい方へ

主エル・カンターレを信じ、その教えを学ぼうとする方なら、どなたでも入会できます。入会された方には、『入会版「正心法語」』が授与されます。入会ご希望の方はネットからも入会申し込みができます。**happy-science.jp/joinus**

三帰誓願　信仰をさらに深めたい方へ

仏弟子としてさらに信仰を深めたい方は、仏・法・僧の三宝への帰依を誓う「三帰誓願式」を受けることができます。三帰誓願者には、『仏説・正心法語』『祈願文①』『祈願文②』『エル・カンターレへの祈り』が授与されます。

幸福の科学 サービスセンター
TEL **03-5793-1727**

受付時間/
火～金:10～20時
土・日祝:10～18時
（月曜を除く）

幸福の科学 公式サイト
happy-science.jp

政治 幸福の科学グループ

幸福実現党

内憂外患(ないゆうがいかん)の国難に立ち向かうべく、2009年5月に幸福実現党を立党しました。創立者である大川隆法党総裁の精神的指導のもと、宗教だけでは解決できない問題に取り組み、幸福を具体化するための力になっています。

幸福実現党 党員募集中

あなたも幸福を実現する政治に参画しませんか。

＊申込書は、下記、幸福実現党公式サイトでダウンロードできます。
住所：〒107-0052
東京都港区赤坂2-10-8 6階 幸福実現党本部

TEL 03-6441-0754　FAX 03-6441-0764
公式サイト hr-party.jp

HS政経塾

大川隆法総裁によって創設された、「未来の日本を背負う、政界・財界で活躍するエリート養成のための社会人教育機関」です。既成の学問を超えた仏法真理を学ぶ「人生の大学院」として、理想国家建設に貢献する人材を輩出するために、2010年に開塾しました。これまで、多数の地方議員が全国各地で活躍してきています。

TEL 03-6277-6029
公式サイト hs-seikei.happy-science.jp

教育事業 幸福の科学グループ

ハッピー・サイエンス・ユニバーシティ
Happy Science University

ハッピー・サイエンス・ユニバーシティとは

ハッピー・サイエンス・ユニバーシティ(HSU)は、
大川隆法総裁が設立された「日本発の本格私学」です。
建学の精神として「幸福の探究と新文明の創造」を掲げ、
チャレンジ精神にあふれ、新時代を切り拓く人材の輩出を目指します。

| 人間幸福学部 | 経営成功学部 | 未来産業学部 |

HSU長生キャンパス TEL **0475-32-7770**
〒299-4325 千葉県長生郡長生村一松丙 4427-1

| 未来創造学部 |

HSU未来創造・東京キャンパス
TEL **03-3699-7707**
〒136-0076 東京都江東区南砂2-6-5　公式サイト **happy-science.university**

学校法人 幸福の科学学園

学校法人 幸福の科学学園は、幸福の科学の教育理念のもとにつくられた教育機関です。人間にとって最も大切な宗教教育の導入を通じて精神性を高めながら、ユートピア建設に貢献する人材輩出を目指しています。

幸福の科学学園
中学校・高等学校（那須本校）
2010年4月開校・栃木県那須郡（男女共学・全寮制）
TEL **0287-75-7777**　公式サイト **happy-science.ac.jp**

関西中学校・高等学校（関西校）
2013年4月開校・滋賀県大津市（男女共学・寮及び通学）
TEL **077-573-7774**　公式サイト **kansai.happy-science.ac.jp**

幸福の科学グループ 教育事業

仏法真理塾「サクセスNo.1」

全国に本校・拠点・支部校を展開する、幸福の科学による信仰教育の機関です。小学生・中学生・高校生を対象に、信仰教育・徳育にウエイトを置きつつ、将来、社会人として活躍するための学力養成にも力を注いでいます。

TEL 03-5750-0751（東京本校）

エンゼルプランV

東京本校を中心に、全国に支部教室を展開。信仰をもとに幼児の心を豊かに育む情操教育を行い、子どもの個性を伸ばして天使に育てます。

TEL 03-5750-0757（東京本校）

エンゼル精舎

乳幼児が対象の、託児型の宗教教育施設。エル・カンターレ信仰をもとに、「皆、光の子だと信じられる子」を育みます。
（※参拝施設ではありません）

不登校児支援スクール「ネバー・マインド」　**TEL** 03-5750-1741

心の面からのアプローチを重視して、不登校の子供たちを支援しています。

ユー・アー・エンゼル！（あなたは天使！）運動

障害児の不安や悩みに取り組み、ご両親を励まし、勇気づける、障害児支援のボランティア運動を展開しています。

一般社団法人 ユー・アー・エンゼル
TEL 03-6426-7797

NPO活動支援

学校からのいじめ追放を目指し、さまざまな社会提言をしています。また、各地でのシンポジウムや学校への啓発ポスター掲示等に取り組む一般財団法人「いじめから子供を守ろうネットワーク」を支援しています。

公式サイト **mamoro.org**　ブログ **blog.mamoro.org**
相談窓口 **TEL.03-5544-8989**

百歳まで生きる会 ～いくつになっても生涯現役～

「百歳まで生きる会」は、生涯現役人生を掲げ、友達づくり、生きがいづくりを通じ、一人ひとりの幸福と、世界のユートピア化のために、全国各地で友達の輪を広げ、地域や社会に幸福を広げていく活動を続けているシニア層（55歳以上）の集まりです。

【サービスセンター】**TEL** 03-5793-1727

シニア・プラン21

「百歳まで生きる会」の研修部門として、心を見つめ、新しき人生の再出発、社会貢献を目指し、セミナー等を開催しています。

【サービスセンター】**TEL** 03-5793-1727

幸福の科学グループ **出版 メディア 芸能文化**

幸福の科学出版

大川隆法総裁の仏法真理の書を中心に、ビジネス、自己啓発、小説など、さまざまなジャンルの書籍・雑誌を出版しています。他にも、映画事業、文学・学術発展のための振興事業、テレビ・ラジオ番組の提供など、幸福の科学文化を広げる事業を行っています。

アー・ユー・ハッピー？
are-you-happy.com

ザ・リバティ
the-liberty.com

ザ・ファクト
マスコミが報道しない「事実」を世界に伝えるネット・オピニオン番組

公式サイト **thefact.jp**

YouTubeにて随時好評配信中！

幸福の科学出版
TEL **03-5573-7700**
公式サイト **irhpress.co.jp**

NEW STAR PRODUCTION
ニュースター・プロダクション

「新時代の美」を創造する芸能プロダクションです。多くの方々に良き感化を与えられるような魅力あふれるタレントを世に送り出すべく、日々、活動しています。 公式サイト **newstarpro.co.jp**

ARI Production（アリ・プロダクション）

タレント一人ひとりの個性や魅力を引き出し、「新時代を創造するエンターテインメント」をコンセプトに、世の中に精神的価値のある作品を提供していく芸能プロダクションです。 公式サイト **aripro.co.jp**